The King o The Black Art

and other folk tales

The King o The Black Art

and other folk tales

edited and introduced by

Sheila Douglas

Storytellers: John Stewart, Alec Stewart, Belle Stewart and Willie MacPhee

ABERDEEN UNIVERSITY PRESS

First published 1987
Aberdeen University Press
A member of the Pergamon Group

(c) Sheila Douglas 1987

The publisher acknowledges subsidy from the Scottish Arts Council
towards the publication of this volume.

British Library Cataloguing in Publication Data

The King o the black art and other folk tales
1. Short stories, English 2. English
fiction———20th century
I. Douglas, Sheila II. Stewart, John
823'.01'08   [FS]   PR1309.55

ISBN 0 08 035058 5
ISBN 0 08 035059 3 (flexi)

PRINTED IN GREAT BRITAIN
THE UNIVERSITY PRESS
ABERDEEN

Contents

Introduction

There are no more magical words in any language than the traditional storyteller's 'Once upon a time . . .' the open sesame to another world that is paradoxically a million light years away from actuality, yet always close at hand to anyone with imagination. No wonder that in ancient times storytellers were so revered and accorded such a high place in society, for their gift was no ordinary one. It is exciting, therefore, to discover today, people who still have this gift. Nowadays we think of storytelling merely as a form of entertainment, chiefly for children. Adults think of stories as something they read in books or watch on films, and storytelling to them means jokes and anecdotes. While my storytellers would never deny that they tell stories for enjoyment, it is also true to say that storytelling can have other functions too. It can pass on the wisdom of previous generations, reinforce values and attitudes, strengthen family and community bonds and even teach survival skills. The forebears of my storytellers looked on these stories as their education, so they were certainly aware, consciously or unconsciously that they could do these things. Storytellers with such a high sense of the value of their material are on a par with poets and writers and other fine craftsmen.

Before introducing my storytellers and their stories, I would like to make it clear that what we have here is a native Scots story tradition and storytellers who are native Scots people, descended from craftsmen in metal from a bygone age. Nowadays they are called travelling people, and people who do not know their history lump them along with gypsies, with whom they had contact once they travelled outside their Highland area, but from whom they are ethnically distinct. Now, of course, most of them are settled in houses. At one time they were silversmiths and armourers to the clans, making the ornaments and weapons that went with Highland dress. The Act of Proscription of 1746 forbade the wearing of the philabeg and the carrying of dirks and claymores; when the demand ceased the art was lost. The metal-workers turned to supplying the country people with more useful articles made of tin and horn and willow wand. Historical change has kept on robbing them of their livelihood, but they have always adapted themselves, turning to whatever work was available. Nowadays each young generation of settled travellers becomes more and more integrated with the settled community and the songs and stories of their great-grandparents are fast disappearing.

Long ago the forebears of my storytellers were Gaelic speaking, so it is not surprising that parallels to the stories are to be found in Gaelic tradition, for example, in the great collection of the mid-nineteenth century, *Popular Tales of the West Highlands of Iain Og an Ile* (by John Francis

1

Campbell of Islay). The title story, 'The King o the Black Art', is found as 'Fichaire Gobha' (Fichaire the Smith) and 'Gille na Bhuidsear' (The Magician's Boy) and 'The Three Dogs' is found as 'Tri Coin nan Srang Uaine' (The Three Hounds with the Green Strings). These Gaelic parallels are closer to my storytellers' versions than any other European versions. In 'The King o the Black Art' and Campbell's versions, the magician comes looking for the boy, who was a foundling, and asks his father if he can have him as an apprentice. In the European versions, the boy goes out, either alone or with his father, and asks the magician to employ him. In 'The Three Dogs' and 'Tri Coin' the emphasis of the story is on the getting, losing and regaining of the magical dogs, while every other European version makes the story of the dogs part of a story in which the hero becomes a slayer of dragons. The Campbell version and that of my storytellers however, are both grafted onto another international folktale type that involves a faithless sister.

Some of Campbell of Islay's informants were tinkers: and indeed they have been traditionally regarded in the Highlands as entertainers as well as craftsmen. Being 'discovered' by twentieth century collectors and folklorists was not what turned two of my storytellers into public entertainers: their forebears had been that for centuries, but because they had come to live a comparatively settled life, they had begun to think of their material as just for the family circle, because that had come to be their audience. Like the rest of the rural poulation they had to make their own entertainment. A comparison between them and a family of Glenisla farm servants recently researched by Edward K Miller of Edinburgh and Austin, Texas, shows that they both knew and sang many of the same songs.

It is important however to remember that the family circle of my storytellers, like that of all travellers, is a much wider one than those of the settled people, and more reminiscent of the old Highland clan. Two of my storytellers and two of their daughters have become world famous as the Stewarts of Blair and people may assume that this was the sum total of the family. But as well as two daughters, they had two sons and another daughter, as well as brothers and sisters, aunts, uncles and cousins and countless other relatives: not so much a family tree as a family forest, in which the Stewarts of Blair are but a twig! Moreover, the Stewarts were inextricably bound up with MacPhees, MacGregors, Higginses, Reids and many other traveller clans, so that one can begin to appreciate the truth of the saying, 'Tinkers are aa sib.'

The four storytellers whose stories appear in this book are Alec and Belle Stewart, Alec's younger brother John and their cousin Willie MacPhee. Alec Stewart died of a form of leukaemia in 1980 and it's a matter of deep regret to that I did not record him more extensively before his death. By the time I was making my tapes, he was a sick man, who tired easily and did not always feel able to tell his stories, although he was always willing. Born in Alyth in 1904, Alec had an older brother Davie, who died in infancy, and five older sisters, who were all pipers, singers, dancers and storytellers, as was his younger sister, Jeannie, who came between him and his brother

John, from whom I have recorded most of these stories. The youngest brother Andrew tells one of the stories included in this collection because it was too good to leave out, although I did not record it, 'Geordie MacPhee'. Belle and Alec's daughter Sheila also tells one story 'Aipplie and Orangie'. Belle is better known as a singer of songs inherited from her father, whom she lost when seven months old, passed on by her older brother Donald MacGregor. But she also had stories from her mother and grandmother, as well as those she learned from Alec, whose memory she keeps alive by telling them. She also had a great interest in family history, which she relates with the shaping skill of a born storyteller. John gave me a great deal of the Stewart family history, especially with regard to his Perthshire childhood and the time the family spent in Ireland between the two World Wars.

Willie MacPhee, like his stories, is in a class of his own. He is still not a house-dweller: he gathered his stories round campfires over more than half a century. They are almost all classic international wonder tales of very ancient ancestry, very complicated in structure but always told with meticulous attention to detail. Willie, like John, was born in 1910 and lived originally in Dunbartonshire. He travelled throughout his childhood over Scotland and Ireland. His father died when he was little more than a child, but being the eldest he had to take on the duties of the man of the family. He grew up to be 'the best man in five counties', worked for a time as a blacksmith, which earned him his nickname and he is probably one of the last of the real old tinsmiths, although there is no demand and no market for his skills today. Willie's aunt Agnes became known in Willie's family as Perthshire Nancy because she came to Perthshire and married John Stewart and became the mother of Alec and John and their brothers and sisters. Alec and Willie were close friends for years and went piping up the glens in summer together. It was in Alec's house that I first met Willie and his wife Bella in the 1960s.

Old John Stewart, father of Alec and John (1870–1955) was a notable piper in his day, remembered among older pipers in Perthshire even yet as someone who helped them when they were learners, and also as someone who won medals at the Highland Games at Birnam, Glenisla and Pitlochry and other places, including Blair Atholl where he won the gold medal for pibroch in 1912. He was a member of the Atholl Highlanders, at one time the Duke of Atholl's private army, but now fulfilling a purely ceremonial role in local and national events. He was also one of the pipers engaged by Lord Ward of Dudley when he lived in Dunkeld House before the First World War, when it was the fashion for gentry to imitate the old clan chiefs and have private pipers, like Queen Victoria at Balmoral. John Stewart's family lived in a succession of crofts at Tullymet, Aldour, Torwood, as well as in houses in Alyth and Blairgowrie.

Alec and John and their brothers and sisters received schooling in these places, but when the First World War broke out and conscription came in, the whole family moved to Ireland. There they lived a much harder life than they had lived in Perthshire, travelling the road in bow-topped wagons and being classed as gypsies. They also had to try and avoid involvement in the Troubles. Alec has a graphic story of one night when they entertained at their campfire both Sinn Feiners and Black and Tans. Most of Alec's sisters married Irishmen, but he chose his good-looking second cousin Belle, who came over with her two brothers, Donald and Andy MacGregor, for the excellent pearl-fishing to be had in the rivers of Donegal and County Tyrone. Alec and Belle were married in Ballymoney in 1925.

Belle was born Isabella MacGregor in 1906 'in a wee auld-fashioned bow-tent' on the banks of the Tay near Caputh, on a day when her father got a particularly fine pearl from the river, so that ever after he said he got 'two pearls in one day'. He left his pearl-fishing to register her birth, something travellers had become very punctilious about, perhaps because of their fear of bodysnatchers or Burkers, perhaps in order to qualify for parish relief. Her mother also arose within a few hours of giving birth, to go and have the baby christened, 'because long ago, you always got a good piece at the minister's or a hauf croon'.

Belle's family were very poor, especially after her father died, and had to work hard to scrape a living but as Belle puts it 'they aye trachled through', and both her brothers had berryfields and Andy set up a caravan site in Rattray that is in use to this day. In those early years, however, they just had to travel to wherever they could get work in the surrounding area, up Glenshee and Glenisla or in Strathmore or the Carse of Gowrie. The idea that travelling people wander aimlessly about the country is not one that can be held by those who know the circumstances of their life. Belle paints the seasonal picture very vividly and factually:

> They kept making these baskets and heather reenges and things all the year round, but they were aye workin on the land . . . maybe forestry in the winter or early Spring and then the neep time came on—that was June month again . . . and then ma mither went hawkin fae place tae place . . . and July the berries started.

She also mentions the peeling of larch trees for telegraph poles, work her mother was very good at, and oak-peeling to provide tannin for dyes, which the men did. She has clear childhood memories of being taken with her mother hawking round Glenshee:

> I've known ma mother get up before the break o day when I was three year auld . . . and she would pack her basket full—maybe a hundredweight or more—as full as she could wi aa kind o odds and ends, arranged in a definite order in which she expected to dispose of the goods and she'd take that basket on her back an she'd put me on top an she'd walk tae the Bridge o Cally—which is six miles fae Blair on the straight road—but she'd gae off an on tae aa the fairmhooses—up an auld road here, up an auld road there—an I would say she covered ten miles up tae the Bridge o Cally and she'd come right doon the ither side again. There was aboot twenty mile a day hawking—wi a hundredweight at the start and what wi swapping one thing for another, generally mair than at the finish o the day.

Belle had no doubts as to who had the hardest life among the travellers:

> Truthfully speaking, the tinker women got the heavy end o the stick. Right enough the men made the baskets and scrubbers, the jugs and milk cans and flagons and that sort o thing. They made the tinware . . . and the women had to go an sell it.

The women had to buy or beg and cook the food and look after the children. It was all the more ironic that, when Belle's father died when his heart failed one day as he was lying in his cart suffering from 'the doldrums o the drink' and a local doctor in Alyth refused to have him carried into his surgery, that Belle's mother took a single end in Blairgowrie in case the authorities took her children from her as being in need of care. Belle's two brothers had to work at tree-planting in Lintrathen to earn enough money to bury him and 'he was buried as he stood, with his jacket and all his claes . . . his body was not washed or made decent . . . it was a very poor show was my father's burial.'

It is hard to reconcile these humble origins with the queenly figure of Belle in her eightieth year, an internationally famous tradition bearer, recently awarded the BEM for services to folk music. She is tall, graceful, full of natural dignity and charm, humorous, tolerant of human frailty, intelligent and articulate. She has brought nothing but honour and respect to Scottish travelling people. Her house has become a Mecca for folklorists and song-collectors, aspiring young singers and visitors from other countries. But fame has not brought fortune and there are few luxuries in her cheerful cottage in Rattray.

Belle grew up in Blairgowrie with her mother and two brothers, at a time when going to school meant being taunted with the name of tinker, which had become an insult because people had forgotten that it originally meant a craftsman in tin. It was understandable that Belle might prefer to stay at home or go hawking with her mother, even with two brothers to stand up for her. Nevertheless even with minimal schooling, she did learn to read and write, as did many other Scottish travellers of her generation. This was because they were allowed by a very sensible law, which apparently has never been rescinded, to attend school only from October to April. Belle's wonderful skill with words, however, is probably due not so much to her schooling as to the fact that among travellers conversation is not a lost art. An evening in the company of Belle or John or Willie or any of their family and friends is spiced with lively wit, hilarious repartee, graphic accounts of personal experiences and keen observation of the world around them and current affairs.

John Stewart was born in Aldour, Pilochry, in 1910 and from him I got a vivid account of how storytelling used to go on in his father's family when he was a child:

> There were seven or eight brothers o ma father's lot . . . An they were aa storytellers. They could lie on their side . . . in the dark, ye know, and the stick

fire gaun an the sparks flyin up in the air an maybe a can o tea sittin at the front
o the fire an sit crackin an tellin stories.

John must have listened really attentively to the stories he heard told over
and over again, for even today, in his late seventies, he remembers them in
great detail. Also he is a creative storyteller, as well as having a prodigious
memory, and while he holds the sequence of the story and its pictures in his
mind so that the essentials are always faithfully preserved, he embellishes it
in a different way each time he tells it.

This brings to mind the ideas put forward by David Buchan in *The
Ballad and the Folk* about how the old ballad singers used to 'recreate' their
ballads in performance, telling the same story each time but in a slightly
different way. My experience of storytellers, all of whom are also either
ballad singers or familiar with ballads, convinces me that this is what
happened. I have never felt the theory that different versions arise because
people have faulty memories could possibly be true, because ballad singers
and storytellers of this kind have excellent memories. If they use different
words each time that is part of their art and skill.

John Stewart's memory is a repository of old story motifs, which he
understands perfectly and which he shakes like pieces in a kaleidoscope into
new patterns, sometimes making new stories that are just as traditional in
their motifs as the old ones he tells. An example of this is 'The White Stag'.
He has the Celtic artist's love of variation and decoration, apparent in pipe
music, singing and design. A storyteller's style, of course, is determined by
many things, including the characteristics in his tradition, his own
personality, the occasions on which the stories are told and the audience
they have to please. John has quite a flamboyant personality and has always
had freedom of time and place to tell his stories as he wants. I am the first
person who has recorded him on any large scale and that was done mostly in
his own home and family circle. Alec was a quieter, less talkative type of
man, who found himself for years in settings where there was a need to
tailor his stories to the time available and the attention span of a modern
audience. Thus while John's stories abound in picturesque detail, Alec's
have a more stark and economical outline, as if he was summarising the
story for fear of boring his listeners. I must say I have never found any of
my storytellers' tales too long: time isn't of any concern when people are
ceilidhing. It would be dull indeed if everyone told stories in the same way.

John grew up in Perthshire, the image of whose landscape is ever present
in his stories. He has a vivid sense of being the son of 'a man you don't meet
every day'. He remembers his father with pride:

He was piper tae Lord Dudley . . . he was in the Atholl Highlanders . . . before
that he was a piper tae Laird Stewart o Rannoch . . . he went tae Glasgow one
day and bought a picture machine . . . a Gaumont Maltese Cross . . . and he
bought a Model T Ford in Perth and came drivin home in it and folk were
lookin oot at Jock Stewart comin back fae Perth in a motor car. He showed his
pictures in the Institute at Birnam . . . an up the glens . . . in these wee country
halls.

Lord Dudley's family often rode over to the Stewarts' croft at Tullymet, a fact still remembered in the locality, which shows it must have caused gossip at the time. But if the Stewarts were as good company then as they are now, it's perfectly understandable. Old John was a highly regarded local 'character', he had several bonnie daughters and his stories were as good as his piping.

When the family went to Ireland they made their living hawking, fortune-telling and entertaining with the pipes and dancing. After their return to Scotland in the late 1930s, John settled in Montrose for a number of years to put his children to school. He and his wife Maggie had eight children, including a much-loved Down's Syndrome son, Bennie, who is still cared for by his father and mother. When I was recording John's stories, Bennie thoroughly enjoyed listening and would imitate his father's exclamations and gestures. Once his family were grown, John left Montrose because 'there was nothing in Montrose but tatties. If ye didnae dress tatties or gaither tatties, it was nae use. An it was a blue lookout for a family o bigger ones.' They travelled in England, Ireland and Canada and it was from Ireland that John used to bring over potato squads to work on Perthshire farms. When I first met John, through Belle and Alec, he was living in Perth, but since then has moved first to Kirriemuir, then to Blairgowrie. He has always regarded himself as the most enterprising and adventurous member of the family and this is probably true.

Belle and Alec, after their marriage in Ireland, were not always together for a number of years, mainly because Belle could not take to the travelling life she had never been used to. Belle speaks of it now with the wisdom of hindsight:

> I didna want to travel, I didna like it . . . But Alec thought I was being unfair, as I knew exactly what was involved when I married him . . . I didna think I should have tae wander round about the country, waiting for two or three shillings, wi Alec playing the pipes—and sending me oot tae hawk—something I never had to do wi my mother: it seemed a silly backward step to take compared to the real productive way of life in our family . . . I would say we were too stubborn young people and neither of us would give way to the other.

Belle was constantly drawn back home to Blairgowrie and it was there that she and Alec finally settled down shortly before the Second World War. Alec served as a piper in the Black Watch, the Gallant Forty Twa, and was at Dunkirk, while his brother John served in the Royal Air Force.

After the War, Alec and his family had a berryfield at Essendy, near Blairgowrie, by the Standing Stones on the road to Meikleour. There they suffered some harrassment from officialdom over the supposed inadequate provision of water and other amenities for campers. They had by this time an ally in Hamish Henderson, who engaged Lionel Daiches QC to defend them in court. The lawyer demolished the case against them with the greatest of ease, thereby vindicating for perhaps the first time the rights of Scottish travelling people to receive justice from the courts. Ironically they had to sell their berryfield to pay his fee. But there were always other ways of making a living, such as gathering fichles (rags), piping and gaffering squads of casual farmworkers. In the 1950s Alec and Belle and their daughters, Sheila and Cathy, became well-known as the Stewarts of Blair in Scottish and English folk clubs and festivals. Eventually they were invited to Ireland, France, Germany, Italy and the States and performed on radio, television and film.

Willie MacPhee has lived around Perth for many years, until quite recently suffering the usual harrassment of being moved from place to place and being fined for illegal camping. Successive laws and restrictions and the rescinding of time-honoured customs by landowners who do not know or want to know the old ways of the Highlands have made it almost impossible for travelling people to follow their way of life without breaking the law. Farming people in Perthshire, however have depended for many years on travellers to pick their potatoes and shaw their turnips and I have found them to have a more tolerant attitude to travellers than town-dwellers tend to have. It is not surprising, therefore, that Willie met a farmer near Redgorton who realised he was a trustworthy and decent man who could be relied on to keep an eye on his outbuildings and allowed him to pull his trailer onto a disused quarry near the farm. Willie now has a stance on the Doubledykes Caravan site at Inveralmond on the outskirts of Perth, set up in accordance with government policy by Perth District Council after a lot of delay and reluctance. Willie still goes up the glens in summer to pipe for the tourists, although he lost heart a bit after the death of his old companion, Alec. If you look closely at souvenir postcards and books on sale in shops, you will spot Willie's handsome figure resplendent in tartan on a rocky outcrop in Glencoe. Alec has been photographed in a similar pose by Loch Lochy. As well as piping and storytelling, Willie sings, plays the mouth organ and cantarachs pipe tunes. He laments the passing of the days when he could go from camp to camp, swapping stories and songs, but he has tried to compensate for that by going to folk clubs, festivals and ceilidhs. Still with the tools and the know-how to make tinware and baskets, he is a real link with the past.

When we come to look at the stories in the collection, we find that there are international folk tales, which are very old and found all over Europe and the rest of the world, as well as other wonder tales, comic tales, supernatural tales of all kinds, many of them traditional to the Highlands, local legends and tales of bodysnatchers, called Burker stories. These originated from the infamous case of Burke and Hare in Edinburgh in 1827-9, when they were tried for stealing corpses and even making away with people to provide the medical school with bodies for dissection. The title story of the collection is a version of an international tale widely found in Europe and elsewhere, listed, as are many of the others, in the index of tale-types made by two folklorists called Antti Aarne and Stith Thompson, as 'The Magician and his Pupil', but called 'The King o the Black Art' by John Stewart.

A unique story in the collection is 'Jack and the Seven Enchanted Islands' which goes back to an eighth century Irish immram or voyage tale called

'The Voyage of Maelduin'. John's father got it from an old Donegal storyteller called Mosie Wray during their time in Ireland when John was just a teenager. It is fascinating to note how it became a Jack tale, concentrating on the seven most spectacular of the thirty-three islands in the original and rejecting the Christian ending imposed on it by the monk who first wrote it down.

An oral tale is very different from a literary one, just as the way we speak is different from the way we write things down. It is less formal, more direct, adapted to suit the listener, proceeds at a pace that suits the time available, makes more use of dialogue and has its own system of signals to the ear of the listener that enable him to follow the pattern of the tale easily. These signals are deceptively simple, consisting of words or phrases like 'So anyway' or 'Now' or 'But' or 'Off he went then', which, combined with a pause, indicate the start of a fresh episode. Many of the story collections of the past, even John Francis Campbell's, have consisted of polished up or summarised versions of the stories. Nowadays the tape recorder has made it possible for us to record and transcribe the stories exactly as told with the whole atmosphere of the story occasion and the flavour of the storyteller's personality to bring it to life. I have tried to present the stories in this way, with a minimum of editing. These fifty stories are a selection from almost ninety which I recorded.

The main character in many of the international folktales is often called Jack, or something equivalent. He is usually the despised younger brother everyone thinks is a fool, but who always comes out on top in the end. It's easy to understand the worldwide popularity of such a character, for it is one with whom everyone can identify. Travellers, of course, like Jack because, like him, they have been looked on as feckless, but because they are 'traveller-brained' they are really 'jumps ahead of the country hantle'—their name for the settled population—when it comes to surviving. Jack has to undertake seemingly impossible tasks and overcomes figures of authority like kings or giants or warlocks, who exercise their power in a most arbitrary and often terrible fashion. Jack often has to go on a journey, an age-old symbol for life itself, on which he is helped by wise old men or women, such as druids or white witches, helpful creatures like talking birds and magic objects like the Shoes of Swiftness or the Cloak of Darkness, which all help him to overcome obstacles and enemies. He always seems unlikely to succeed and is scoffed at, but in the end becomes a hero.

The patterns of these stories are archetypal, like a template for representing how a human being grows and develops into an individual capable of coping with life's problems. We can see how Jack matures and how he succeeds partly through inherited wisdom, partly through following natural instinct and partly through his own cleverness, potential at the beginning of the story, but fully realised by the end. We can learn to identify with him and adapt what he learns to our own experience. This is clearly set out in Willie MacPhee's trilogy of stories called, 'Johnny Pay Me for My Story'. First we learn that what is of value in life is not material things, then we see how knowledge can be used to 'push our fortune' and finally we see how skills can be used to win through whatever difficulties life sends us. Like many of the wonder tales, this is not an escapist fantasy to make us forget the hardships of real life, but an imaginative and therapeutic art form that enables us to confront and overcome our daily problems.

The stories of Burkers or body snatchers similarly provide a means of expressing and controlling the fear of outsiders that haunts travellers, a fear that the Highland Clearances could have done nothing to allay. Read off the printed page, these tales may seem grotesque and unconvincing, but told round some lonely campfire in Glencoe or Glenshee, with who knows what nameless terrors lurking in the surrounding darkness, their potency would not be in question. Burker stories, which arose from the fear of bodysnatchers a hundred and fifty years ago, were not confined to travellers. Duncan Campbell of Glenlyon, a Perthshire farmer's son who edited the Northern Chronicle for thirty years, provides evidence of this in his memoirs:

> The scare caused by the Burke and Hare case sent such an after-fear through the Highlands that among others, our church was watched for weeks after every funeral, because of the bodysnatchers. The key of the churchyard was always kept in our house and the watcher with loaded gun used to come for it. So I heard many resurrectionist stories that frightened me worse than the usual run of ghost stories.

Among travellers it was fear not so much of grave-robbing but of abduction and murder that was most common.travellers after all had in most cases no official existence in parish records. In their fevered imagination, the Burkers became the doctors themselves, known as 'noddies' after the coaches they drove, creatures of nightmare in black cloaks and tile hats, who carried off travellers from isolated camps and were often in cahoots with farmers and other country people. This provided a focus for travellers' long-standing fear of outsiders. The ritual of telling the stories helped to de-fuse this fear. The listeners lived through the terror of being pursued by the 'noddies' or their accomplices in their dark, silent coach, to escape by a hairsbreadth and sigh with relief to find themselves safe with family and friends. This is the invariable pattern of Burker stories.

It puzzled me at first to sit in a circle of my traveller friends and listen to them telling Burker stories as if they really believed them, when I knew for a fact that most of them attended doctors and hospitals and no longer had any fear of them. Then I became aware of the pattern of the stories and realised that their importance lay not in the facts they purported to relate but in the expression they provided for the travellers' sense of insecurity in a world where people in local government can be quoted in the Press as saying there is no place in modern society for people who live a nomadic life.

Dr Hamish Henderson has gone so far as to call it 'a fear of genocide' and we are near enough Hitler's Holocaust to remember that there is a precedent for this. I myself have been appalled at the venomous abuse and insult I have been subjected to for daring to make pleas in letters to the Press for tolerance and human rights for travellers. I can understand their still harbouring fear and suspicion, particularly of people in positions of authority, who at times seem to behave like the ogres in their Jack tales. Travellers have very sound psychological instincts and know it is dangerous to repress strong emotions, so I believe they tell their Burker stories even today as a kind of safety valve for their deep-rooted fears.

The comic tales reflect an irreverent, often earthy sense of humour that is very Scottish and provides a harmless means of breaking taboos. This, of course, is the universal function of such stories and is not confined to travellers' tales. Living in restricted space with lack of privacy nearly always leads to people being prudish about nakedness and bodily functions. Stories like 'The Face' and 'The Man who had No Story to Tell', would provoke mirth only among people who had strong taboos relating to nude or dead bodies and to sexual matters.

One of the most interesting and entertaining of the comic tales is, 'Geordie MacPhee', told by Andrew Stewart. It is a wonderful double edged satire that pokes fun both at the traveller, Geordie, who strikes it rich but won't change his life-style accordingly, and the 'country hantle' who slam the door on Geordie in his rags but lick his boots and call him 'M'lord' as long as he can birl the golden guineas. When Geordie's magically acquired fortune runs out, he goes back on the road without bitterness, for basically he is not a materialist, and regards wealth as something to share with his family and friends, not something to give him status above them.

Belief in the supernatural was always very strong in the Highlands and this is reflected in the stories of ghosts, haunted places, changelings, black dogs and other uncanny creatures, which these storytellers relate. As well as revenants and apparitions, found in ghost stories all over the world, there are some phenomena found only in Gaelic lore, like 'the little washerwoman at the ford' who features in 'The Shepherd and the Wee Woman', and is called in Gaelic the 'bean nighe', an omen of death in battle. In the Stewart version of the tale, her washing of the shepherd's muffler threatens his life. The changeling in 'Johnny in the Cradle', plays the pipes and drinks whisky. Even the comparative lack of witch tales may have to do with the fact that the witch burnings that swept Europe in the seventeenth century, did not affect the Highlands to the same extent, where the wise old woman or henwife, who features in many of the stories, was a respected figure. In spite of the Church's efforts to dispel superstition and claims of modern science to have done so, the desire to believe in the supernatural is still there. Whether or not there is a basis for such belief is less interesting than the fact that in the twentiety century it is quite easy to find plenty of people who believe in ghosts.

The travellers were not affected by the teaching of the Church, which, through the Society for the Propagation of Christian Knowledge, set up schools where children were not allowed to speak their native Gaelic. With the language went the songs and stories of the ceilidh house. As Hector Urquhart of Ardkinglass reported to Campbell of Islay in 1860:

> The minister came to the village in 1830 and the schoolmaster soon followed, who put a stop to such gatherings, and in their place we were supplied with heavier tasks than listening to the old shoemaker's fairytales.

With the travellers as with the Highlanders, belief in the supernatural is just a facet of their way of recognising that the world does not just consist solely of material things.

To dismiss these stories as merely relics of bygone days, too unsophisticated for the modern world, is to miss a great deal of what is in them: a strong assertion of the importance of the past and roots; the old Highland values of the clan or family, ancestral wisdom; harmony with nature and social customs of hospitality and entertainment. It is in their stories that the travellers' identity as Highland people, is most apparent.

It may seem at first surprising that people living a life of hardship and poverty on the road, having the time or the motivation to preserve works of art and beauty down the generations. For as well as saying, 'These stories are our education'—showing themselves to be aware, even subconsciously, of their psychological value— the travellers are very much aware of their artistic and entertainment value and enjoy both telling and listening to stories enormously. They have a Celtic love of beautiful things, and in the midst of poverty, will treasure a set of silver mounted bagpipes or fine china. They also love above all else things that are beyond price, like the freedom of the open air and the leisure to enjoy music, story and song.

One of the most striking things about the stories are the scenes pictured in such strong visual terms that one could swear the storytellers are describing what is before their very eyes. Take this example from 'The Speaking Bird of Paradise':

> An then he saw a coppery glow an what was this but a tree, a bushy tree jist like a wee small apple tree, glitterin wi golden leaves, it very nearly took and blinded him . . . He spread back the leaves and there was the Speaking Bird of Paradise. A more beautiful bird ye never saw in your life, wi big long curled feathers in its tail, all the colours o the rainbow.

Grotesque as a figure in a Hieronymous Bosch painting is the woman in 'The Heid':

> . . . standin at the door, leanin against the jamb, and her mouth's gapin open . . . an there's rats and mice jumpin in and oot an she's not even noticin them.

In 'The Nine Stall Stable' told by Willie, when the kind brother has asked the help of the talking frog to find the pearls from the necklace the princess has lost in the forest:

> Away he went an sat where the wee frog telt him . . . an he was sittin maybe an oor. The sun was jist aboot tae set at the back o the mountain, when he saw these wee ants comin, wi aa the pearls. Every yin had a pearl.

The language used in most of the stories, like the language of the ballads 'may be said', to quote Hamish Henderson, 'to include English and go beyond it.' I have tried to be true to this in my transcription, which shows

how my storytellers happily mingle Scots and English with colloquialism
and poetic expression, with the occasional word of Gaelic or traveller cant.
These storytellers also retain some of the stylish touches that were the stock
in trade of the old seannachie. These include beginnings like, 'Not in my
time, not in your time, but in somebody's time,' and endings like, 'And the
last time I saw him I got my tea off a wee tin table: the table bended and my
story ended.' Jack frequently travels 'through sheep's parks, bullocks'
parks and aa the parks o Yarrow'. He threatens his enemy with, 'I'll make
the highest stone in your castle the lowest in five minutes.' A witch comes
from 'the Back o Beyond where the Devil fooled the fiddler', and another is
so old, 'she was very near rockin on her two front teeth'. Jack is told of his
enemy, 'If your horses were made of iron and your swords made of steel,
you couldnae beat him', while a terrified groom says the King o the Black
Art will 'have my head on the poisoned spears before sunset', if he disobeys
him.

This is the language of enchantment and certainly these stories contain a
kind of magic to spirit us away from the artificiality and cultural barrenness
of a great deal of present day entertainment. These faithful old storytellers
have lovingly preserved for us down the ages a priceless inheritance, that
can never be replaced. We can keep it from getting lost again, by making
sure these stories continue to be told. We can only be the richer for it.

The King o The Black Art

Once upon a time, not in my time, nor in your time, but in somebody's time, there was an auld fisherman and his wife stayed at the side o this sea loch. He fished every day and they were lonely because they had nae family. One day he was doon mendin his nets and lookin at his boat an he saw this thing floatin into the side o the water. He never bothered aboot it for a while, then curiosity got the better o him and he went to look at it and it was a basket, lined so that the water couldnae get in, and there was an infant in the basket. He carried the wean up tae his wife in the wee fisher cottage and he says, 'Look what I've got for you doon at the side o the water.'

'Aw,' she says, 'a wee laddie! Gie me it here an I'll gie it milk. It's maybe stervin o hunger.' She gets the wean an she warms it at the fire an heats milk for it an feeds it wi a wee horn spoon.

The wean thrived and they reared him an reared him. When he came to about fourteen he would be doon wi the auld fisherman helpin him wi his nets an helpin him tae fish. One bright early mornin, the auld fisherman an the laddie were doon at the waterside daein somethin wi the boat, when they saw this ship. It lowered a boat and the auld man looked. 'Oh,' he says, 'that's somebody of importance. I can see jewels an a crown upon his head. He's some kind o king fae a foreign land!'

So they looked again an saw the man standin in the bow o the boat, an he was throwin three golden balls wi spikes up in the air an catchin them again. Then the boat came ashore and this king stepped oot o the boat ontae the beach an he comes up tae the auld man an he says, 'Good-morning, old man.'

'Oh,' he says, 'good mornin, your honour, your highness.'

'What do you do here?'

'Well I just fish and do one thing and another like that.'

'There'll not be much livelihood in that?'

'No,' he says, 'there's not.'

Then the king says, 'That's a nice boy you've got there. What age is he?'

'Fourteen,' he says.

'He's a strappin fellow. He'll be a fine man yet, that boy. Has he nothin to do?'

'Well,' he says, 'he helps me with the nets and the fishin and he's handy aboot the hoose for splittin sticks an goin for wood to the auld wife when she's cookin. We'd miss him if he wisnae there.'

The king says, 'I'll tell ye what I'll do. If you lend him to me for a year, I'll let ye see a man made o him.'

'Oh,' says the auld man, 'I couldna dae that. My wife would kill me. I'd be feart, in fact, tae go an ask her.'

14

'You go an ask her,' he says, 'and see what she says. Or let me have a talk wi her. I'll make your boy worth his weight in gold.'

The auld man says 'I'll ask her.' So he went up an explained it tae the auld wife but oh she wouldnae! No! No! 'But look,' he says, the laddie's daein nothin here, anyway, he's only wastin his time. That man is willin tae tak him an learn him some kind o a trade. We're as well lettin him go for the sake o a year when it's benefitin him.'

After a lot o argy-bargying the auld wife consents tae let him go for a year, so the laddie takes his bits o things wi him, cuddles his auld mither, shakes hands wi his faither, jumps on the boat an is away out tae the ship.

The auld man and the auld woman come up tae the hoose an she's sittin an she's greetin an she's sayin tae him,'It wis you that made me pit the laddie away.' As the weeks went in, she was waitin then for the year an a day comin up. The auld man's away fishin and workin here an there an the year an a day was a long time in draggin by.

But at last the year an a day was by an the auld man's up bright an early an he's down on the beach and here the boat comes right roon an up tae the shore. An his son's standin on deck throwin three poison balls wi spikes in them up above his heid, golden poison balls wi spikes in them, an catchin them wi his feet. The auld man says, 'Oh my goodness! What that laddie can do now!'

So the laddie came ashore an cuddlet his faither an mither and gave them what money he had an telt them aboot the great castle he was in miles away.

The king says, 'Ye think that's good, what he's doin now, but if ye lend him tae me anither year an a day, I'll make him twice as good.' He gave them two or three gold pieces an the auld wife consented tae let her son go for another year an a day. The laddie shakes hands wi them again and says, 'It'll no be lang in passin, mither, it'll be nae time.'

'Ah,' she says, it's aa right for you, away in strange places, wi things tae look at. But we're in the wilderness here an it's a lang time o passin.'

But anyway the laddie goes away an the boat turns an hoochs away intae the horizon out o sight. The auld man keeps on fishin an mendin his nets. Eventually time drags on and drags on till the year an a day was up again. He couldnae sleep that night. He couldnae sleep a week before the boat would come. But he's down on the beach waitin an here the boat comes again. His son's standin wi a shimmerin kin o gold suit on him an he's firin seven poison balls in the air, golden balls wi jags on them like horse chestnuts. Oh the faither was well-pleased wi him, so was his mither. He gies his faither an mither handfu's o money an they give the king refreshment.

'Now,' says the king, 'this'll be his last year. If ye let him go for anither year an a day, I'll let you see that your son *is* a man!'

So they consented again and the laddie goes away wi the king in the boat. Time's slow o passin an it's makin the auld woman argue wi her husband, when the laddie's no there and her sittin aboot the hoose thinkin. But time creeps by till the year an a day was up again. The auld man's doon on the beach lookin an lookin an lookin. He stood aa day—but there was no boat!

When he comes back tae the hoose, his wife's lookin wi her hand up tae her eyes tae see better an when she sees the laddie's no there, she takes a stick an she's layin intae the auld man. 'You'll pack up tomorrow mornin,' she says, 'an you'll go an search for my laddie.'

Next day she gies him some barley bannocks an his pipe an tabaccy an he says fareweel tae her. 'I'll get him,' he says, 'wadnae matter if it were the ends o the earth I'll find him.'

So he's on an on an on, owre sheep's parks, bullocks' parks an aa the parks o Yarrow an through wuds an down glens an up hills. In those days the hooses was very scarce in the forest an hills an if ye did come tae a bare bit o grun, it was a moor. An he comes owre this place an down intae a great dell, where the trees were sae high it was as dark as a dungeon. An he comes tae a wee hoose in the wud made wi sticks an bits o trees and an auld man came oot. 'Aha,' he says, 'I've been expectin ye.'

'I dinna ken whaur I'm gaun,' he says. 'I'm lookin for my son.' An he tells the auld man what happened. He says, 'I know where your son is. He's only aboot three days march fae here. But ye'll need tae watch what you're doin for that's the King o the Black Art. Ye'll have tae be very, very careful. Rest the night here and when ye go away in the mornin, I'll tell ye whit tae dae.'

So the auld fisherman stayed in the hut aa night an in the mornin he got a taste o meat. The auld man says tae him, 'I'll tell ye, keep due north, straight as a die. Ye can't miss the castle after three days' march. When ye go tae it, go straight up to the front door. Don't go down any back ways. Go straight to the big front door and pull the bell. He'll send a butler out. Tell him you don't want to see the butler. Ye want tae see the king himsel, or ye'll make the highest stone in the castle the lowest in five minutes. And he'll come. When ye ask aboot your son he'll start arguin wi ye that he's no there, but keep persevering and he'll go in and come oot again wi twelve pigeons aa strung on his arm. He'll say tae ye tae pick your son oot o that an he'll throw the pigeons up in the air. Now, there'll be one wee plucky-feathert cratur among them, flyin half sideyweys. You would think it wis in the moult, and aa gutters. Tell him ye'll tak that one.'

So the auld fisherman spits on his stick, thanks the auld man an he's off through the forest, marchin an marchin, drink o water here, drink o water there. On the dawnin o the third day, he looks doon on this valley an there's this great castle. He couldnae get doon tae it quickly enough, he's faain an stumblin owre bushes an roots. He goes right up tae the front door an pulls the big bell. Out comes this uniformed butler an says, 'What do you want? You know this is the king's palace that you're at?'

He says, 'Go an tell the king I want to see him immediately or I'm gaun tae mak the highest stone in his castle the lowest in five minutes.'

So he goes in and a while after that, out comes the king. Oh he knew him right away when he saw him. 'I've come,' says the fisherman, 'tae see where ma son is.'

'Oh,' he says' 'I don't know where your son is.'

'Now,' he says' 'don't come that. You got my son away for a year and a day an he come back. Ye got him for another year an a day an he come back. But the third time ye took him away, he never come back. Now I want him back.'

'Well,' he says, 'wait here and I'll go in an see if I can get him.'

So the king went in an in aboot quarter o an oor he comes out an he has twelve pigeons on his airm. 'There ye are,' he says, 'pick your son oot o that.' An he throws the pigeons up in the air. So the auld man looks at aa these lovely pigeons flyin aboot. This wee one is flutter, flutter, fluttering at the side, wi dirty skittery-lookin feathers on it. He says, 'I think I'll chance takin that wee one at the bottom, that bad-looking one.'

'Well,' he says, 'take him an be damned tae ye. May the Devil take away your learnin-master.' He claps his hands an just like that the boy was standin at his side.

So the faither says, 'Come on then, we'll get oot o here.' So the faither and son walks oot crackin away an he asks his son what happened.

'Oh,' he says, 'he's an enchanter, King o the Black Art, but I've learned that much o him that I can dae nearly everything that he can dae. Noo when we go back yon road, we'll come tae a congregation o hooses, a wee village place, where there'll be a fair. When we go there, I'll turn masel intae a greyhound dog, wi a lovely big brass-studded, buckled collar an lead on ma neck. They're great men roon this airt for good dogs, an they'll be at ye for tae sell the dog. Ask a thousand gold pieces for me an ye'll get it, but when ye give me away, don't part wi the collar an leash.'

So they come tae this fair an there were stalls an men drinkin an women an lassies an weans squealin an runnin up an doon. As one man passes he asks, 'How much for the dog?'

'I'll take a thousand gold bits for it,' he says.

'Well I don't know about that. I'll give ye five hundred.'

'Naw, naw, naw.'

But eventually he sells it for the thousand gold pieces. 'There's your dog,' he says, 'but I wouldnae take ten thousand for the collar that's on its neck. It's a keepsake.' So he lowsed the belt and put a string on the dog's neck and handed it tae the man, who went away with it.

In just about five minutes his son was standin at his fit. He says, 'Well done father. When we get home tae ma auld mither, we'll have some money.'

So they goes on again, on again. 'Now,' says the son, 'at the next place we come to, there'll be a horse fair. I'll turn masel intae a lovely black stallion. Ye can sell me for a lot o money, but don't sell the bridle, the halter that's on ma heid.'

So the father says, 'All right then. Fine.'

On they comes tae this toon an the ither fair. There's horses an cattle an goats an everythin like that. But the king o the Black Art had turned hissel intae a man that was lookin for a horse, an he wisnae far off. The boy turned hissel intae this black stallion an he's kickin his heels, he's jumpin an he's even clearin some o the stalls. So the King o the Black Art comes up tae him an says, 'Hello! Wad ye sell yer horse?'

'Oh,' he says, 'that's what I'm here for.'

'Well,' he says, 'how much dae ye want for him?'

'I'll take five thousand.'

'Oh I wouldnae give ye that,' says the King. 'I could buy a good horse for less than that.'

'Oh but ye'll no buy one like this.' An the horse is buck-leppin an skirlin up in the air.

'Well I don't know how good he is. If I could get a ride on his back—'

'Oh I'm afraid I canny do that. I wouldnae let ye ride him.'

'He wouldnae be much good tae me unless I got a try on him.'

'No', says the fisherman, 'I wouldnae like tae dae that.'

'I tell ye what,' says the King. 'Come here.' An he opened the door o this shed. 'See that heap o gold there? I'll gie ye that heap o gold if ye let me test him tae the end o the village an back.'

'Very temptin,' says the old man, lookin at the gold. So he gives the King the halter and he jumped on its back and away! Off!

The old man's tearin his hair, now. He doesnae know what to do. An the heap o gold was just a pile o dung. The King o the Black Art takes the horse back to the castle. He tells his grooms tae tie him up. 'Never take the bridle off his heid and don't give him anything but a bucket o salt beef a day. No water! I'm warnin youse!'

So the horse was in the stall an, efter a week o this, his tongue is swollen up an cracked for lack o water. The stable door looked oot on a lovely wee stream runnin doon. When the groom came in wi the bucket o salt beef, he says' 'Look, wad ye no gie me a drink o water?'

'I can't,' he says. 'It wad be more than my life's worth tae gie ye one spot o water, because *he* would know right away.'

The next day passed an the next. An he asked the groom again. 'Look, dinny take the water intae me. Lead me oot tae that wee stream till I get wettin ma tongue at it. Oh if I could just get wan dip o the water!'

'Well,' says the groom, 'I'll take ye oot by the halter an I'll pit your nose in it. But never say I've done this, or my heid'll be on the poisoned spears afore sunset.'

So the groom lowses the rope, leads the horse oot tae the water an the horse is snuffin and snuffin. 'Look, groom,' he says, 'I canny get right doon. The rope's too short. Could ye no slacken the halter so that I can get a right drink?'

The groom says, 'You'll be the daith o me,' and he lowses the halter and the boy dives in the burn as a salmon an he's off!

Aa the bells in the castle started tae ring and the King o the Black Art was oot on the hill wi his two sons wild boar huntin, an they heard the bells. 'That horse has escaped!' he says. So in two or three minutes they were doon an they changed themselves intae three otters an they're doon the burn an doon the burn, efter the salmon. An soon they're just aboot a table's length off him. An he changed hissel intae a swallow in the air. They changed intae three hawks an they're chasin this swallow an chasin it an chasin it. An it's divin an dippin and swervin an it comes across this hoose an there's a woman sittin in the gairden sewin. An he changes intae a ring on the wumman's finger. An the hawks is fleein aboot.

An the ring speaks tae the wumman an she looks aa roon aboot for the voice. 'It's me,' he says, 'I'm on your finger. Don't be frightened,' he says.

'Oh,' she says, 'where did that ring come from?'

'Look,' he says, 'there'll be three gold dealers come an they'll promise ye the world for it, but I'll tell ye whit tae dae. Go an build a big fire in your back yard an have it blazin because they'll be here before long. Walk by the fire when they're askin tae buy the ring off ye an before ye'll give it tae them, tell them ye'd rather fling it intae the fire. Then throw it straight intae the heart o the fire. Now be sure an do that. Give me your word.'

She says, 'All right, I'll do that.'

So she went and made a big fire and the fire was roastin the same as burnin brushwood. A while after that, roon comes these three men, tappin the doors, lookin for gold. It was the King o the Black Art an his two sons. 'Good mornin, ma'am,' he says, 'Have you any gold pieces or anything at all in the jewellery line tae buy off ye, this mornin?'

'No,' she says, 'I haven't a thing.'

'That's a nice ring ye've got there. Will ye not sell it tae me?'

'No,' she says, 'I wouldn't take any money for it.'

'I'll give ten thousand.'

'I wouldn't take anything for it. I wouldn't sell it at all.' An she's walkin back by the fire. 'In fact before I wad sell it, I'd rather do that!' An she flung it straight intae the heart o the ragin fire.

So the King o the Black Art an his two sons they turned theirsels intae three blacksmiths wi bellows an they blew the fire an blew the fire an blew the fire till there were just three or four wee red grains left. Then the boy changed hissel intae a seed o corn among the bags o barley the woman had for feedin her hens. They changed theirsels intae three cocks an they picked the barley an picked the barley an picked the barley, till they were that fu they could hardly move. Then he changed hissel intae a real savage fox and snapped the heids off the three cocks. An that was the end o the King o the Black Art.

Told by John Stewart

The Water of Life

Once upon a time there was a king an he had three sons, Tom, James and Jack. Jack was the silly water-carrier, the fool. The king ruled for a long time there, but one day he got up and he could hardly move at aa an wis complainin an complainin tae the laddies an people about the castle, so they went for this doctor, that doctor, this wise man, that wise man. Everyone was tryin their hand tae cure the king. But no! Nobody could cure him.

Till one day an old beggar woman came tae the castle, askin for this an that an the next thing at the back door, when she sees Jack comin roond the end o the hoose wi two big buckets o water.

'Hello,' she say, 'son. Do you belong the castle?'

'Oh aye,' he says, 'that's my faither's castle. But he's no well the noo. There's been a lot o doctors an one thing an another at him, wyce men, witches an warlocks, tae try an cure him but none o them can cure him at aa. The ither two, Tom and Jimmy, they can dae what they like. They have the ridin horses an the hawks an oot wi the staghounds chasin the deer. But ma faither'll no let me go nae place, because he thinks A canny look after masel. I dodge aboot the kitchens an cairry the water.'

She says, 'What is it that's wrong wi your faither?'

'Well,' he says, 'naebody kens.'

'I'll tell you,' she says, 'what would cure him—the Water of Life.'

'Ah but,' he says, 'where am I gonny get that? I've two buckets o water here, but that wad be little guid tae it.'

'Oh no,' she says, 'For the Water of Life ye've got tae go a long, long way. But if ever ye have tae gae an look for it, there's a wee whistle tae ye. Keep that in your pocket and just blow it an I'll be there tae advise ye. But dinny be goin aboot the castle blowin it,' she says, 'cause it'll no take any effect. It's only when you're needin me that it'll take effect.'

So the cook gien her a piece rolled up in a paper an away she went. But Jack's father gets worse an Jack goes up tae his room, an there's his two brothers crackin away tae him. When Jack wants tae come in, they shout, 'Gae oot o this, ye fool! You've nae business here. Go doon tae the kitchen; the cook's wantin ye tae go for sticks, pit logs on the fire.'

But Jack wouldnae go. He says, 'No, I want tae speak tae ma father.' So the father looks and says, 'Let Jack in. Whit hairm's he daein? Come in, Jack. What are ye wantin?'

'I ken,' he says, ' how tae cure ye, but I wadnae say in front o them. Pit them oot.' So the king says tae Tom and James an the rest of the folk that was in there, 'Wad ye go oot a minute, till I see what ma son here has tae say tae me.' Then he says tae Jack, 'Sit doon there laddie.' So Jack sits doon an the rest o them went oot an closed the big door o the king's bedroom.

'I was speakin,' he says, 'father, tae a wumman at the back door when I was cairryin water in, an I was tellin her ye wasnae weel. She told me the only thing that will cure ye is the Water of Life. I was thinkin, if you could gie me an auld sword an wan o the old horses oot o your stable, I would go away an look for that Water of Life.'

'Ach laddie,' he says, 'whaur could *you* get the Water of Life? Wisnae Tom an Jim an aa the folk in the place all roun aa the airts an pairts lookin for doctors, an do you think if they wise men doesnae ken what tae dae wi me, how are you tae ken?'

'Oh,' he says, 'there's nae hairm in giein me an auld horse an a sword. I'll get as much meat oot the kitchens as'll keep me gaun for a day or two, an I'll search the country tae see if I can get this Water of Life.'

Eventually he says tae Jack, 'Go doon an tell the groom tae gie ye an auld horse. Tak the auld mare, she's the best yin. I've had her a long time an she's quaite. Go tae the armoury an tell them tae gie ye a sword. There's nae use takin an auld yin—tak a decent yin.'

So Jack thanks his father an telt him, 'I'm away, an when I come back, I'll hae that water.'

So Jack gets the auld mare, saddles up, gets a parcel o meat oot o the kitchen an pits it in his saddle bag. An he taks a sword an a scabbard, ties it roon his waist an he's off!

Noo he didnae know what way tae go. He looked that way an he looked this way. He says, 'Och, I'll jist follae ma nose. I'll jist go intae the wind.' So he's comin on an comin on an comin on an he comes tae this wee burn. The sun was shinin in the middle o the day in a big forest, so he stops an jumps off his horse, takes the reins owre the top o its heid, takes the bit oot o its mooth. He says, 'I'll gie ye a drink here, Meg and a bit or twa of grass an I'll hae a rest masel till ye kinna freshen up.' So the horse was croppin at the grass an he's sittin doon aneth this trees when doon comes this wee burd.

He says, 'Where ye goin, Jack?'

Jack looks aroon. He says, 'I thought there were somebody speakin.'

The wee burd says, 'It's me 'at's speakin.'

'Oh can ye speak, wee burd?'

'Oh aye,' says the wee burd, 'I can speak. I was enchanted long years an years ago an I've been in the shape o a burd since. I've got an idea,' he says, 'ye're in search o the Water o Life, but ye've a long, long road tae go. I canna help ye tae get it, but I can advise ye the road tae take an ken what tae do on the road. But ye've a long journey.'

'Well,' says Jack, 'that's awfa nice o ye. I'd do onythin for tae get this water for the sake o ma faither.'

'That's about the only thing that will cure him, the Water of Life. keep goin the way ye are goin and at night follow the brightest star in the heavens. Keep the star in front o you, because the country you're gaun intae, there's no paths or bridle walks, just rough terrain.'

'Well,' says Jack, 'thanks very much.'

So Jack saddles up, throws his leg owre his horse an goes on and on and on, all that night. Next day he pulls up at a wee burn where there's a nice wee bit grass for his horse. He's sittin listenin tae the birds whistlin, when he mindit the whistle the wumman gien him. 'Oh,' he says, 'maybe I lost it wi the hurry.' He searches his pockets an it's awa doon the bottom o his auld jacket pocket, this wee ivory whistle. He puts it tae his lips an gies a wee sharp whistle and just like that, there was the auld wumman.

'Well, Jack,' she says, 'I see ye've startit your journey. I was waitin on the soond o the whistle. I thought that ye wad hae got feared comin through aa they wids wi the wild boars an the wolves. I thought ye'd hae blaaed the whistle lang ago.'

'Naw,' he says, 'I forgot the whistle, tae tell ye the truth. I maybe wadnae hae come this way at aa, only I met a wee burd.'

'Oh,' she says, 'I was the wee burd. Ye still have a long road to go. When ye leave here, travel for three days until ye come tae a wee auld thatched hoose in the middle o the wid. That's my auldest sister.'

Noo the wumman that was spaekin tae him, Jack wad reckon was comin up tae her hundredth year.

'That's my auldest sister an she'll tel ye a lot mair than I can, Jack, because she's nearer the place ye're makin fur an she has mair knowledge than me, wi her bein aulder.'

So Jack thanks the auld wumman an he jumps on auld Meg's back an he's away travellin on owre sheep's parks, bullocks' parks, up mountains, down braes, through wids, owre burns. Sometimes he has tae take a roond-aboot tae get past marshes, but eventually he hits this black wid. Through the day it's like dark, but he comes on an on through it an he has tae stand and think tae see if he's on the third day. But all of a sudden he just comes on this hut in the middle o the wid in a wee bit o a clearin. So Jack goes tae the door an chaps on it.

'Come in,' an auld wumman says, 'I've been expectin ye.' An she's rockin on her two front teeth, she's that auld. And her nose and chin are crackin nuts. 'Come tae the fire an I'll gie ye somethin tae eat.'

So she gives him barley bannocks an goat's milk an sits crackin away. 'I ken whaur ye're gaun,' she says, 'for the Water o Life. ye've tae climb the Glassy Mountain, ma lad. The only way ye'll get up there is wi the Shoes o Swiftness. They can go any place. I'll lend them tae ye, but for the peril o yer life, dinna lose them. When ye get tae the top o the Glassy Mountain, take them off an point them back this way. They'll come back theirsels. Now, lie doon the night an rest because ye've got a long road tae go.'

So Jack lies doon in front o the fire an he couldnae sleep for thinkin. He gets up in the mornin an the auld wumman gies him a bite tae eat.

'Now,' she says, 'when ye go tae the tap of the Glassy Mountain, ye'll see a lovely valley right doon in front o you. And in this valley ye'll see a two-headed giant. For the peril o your life, don't go down that valley, cut away the ither road aa thegither, where it's dark an miserable-looking. Go that way. Now here's a hazel nut and ye havenae tae crack it open until ye're ready tae get the Water.'

'Aw,' he says, 'that 's very nice o ye,' an he taks that hazel-nut an stuck it in his waistcoat pocket. She gied him the Shoes o Swiftness an they were like galoshes for snow, owre the outside o your shoes. She says, 'Ye'll have a good day an a hauf's ridin afore ye come tae the Glassy Mountain.'

So he jumps on his horse's back an bids farewell tae the auld wumman an he's on his travels again, owre burns, up banks an doon braes. All of a sudden he started tae see a glitter in front o him, like a reflection o a mirror in the sun. An when he come out o this wid he can hardly look, an it's just a straight glass mountain in front o him.

'Now,' he says to his horse, 'I'll take the bridle off ye, Meg. There's plenty o grass an water here an I'll leave ye here. If I dae happen tae get back, I'll get ye. An if I dinny get back, I'll be deid!'

So the auld horse just shook itsel an was glad tae get the saddle off. Jack put on the Shoes of Swiftness and he could feel hissel goin as rigid as a rod. He looked at the top o the hill an put his foot forrit an he whizzed right up this Glassy Mountain. When he reached the top he fell on his side out o breath, not wi his own exertions, but wi excitement. He takes the Shoes off and turns them round and lays them doon and the Shoes were away.

He walks owre the top o the mountain an saw this sunny valley wi lovely green trees an birds flyin aboot, but standin right on the path doon, was a giant wi twa heads, wi a great cudgel, who roared at Jack an the very ground trembled.

'What stranger are you, comin tae this land?'

Jack says, 'I'm up here on an errand for my father.'

'Well,' says the giant, 'if your guns were made of iron an your horse made of steel, ye'll never reach the land I live in.'

Jack says, 'But I'm no goin that way, I'm goin this way,' an he walked doon the ither road, a forbiddin an forebodin-lookin place, that would mak ye look at it before ye would venture. He's walkin on an on when he hears this singing an when he comes roon this bend at the back o this hazel bushes, this was a golden-haired maid, sittin on a rock an combin her hair.

'My goodness,' says Jack, 'this is a funny place tae see a lassie o your description.'

'Oh,' she says, 'I've been sittin waitin on ye. I got word ye were comin.'

Jack says, 'Well, I don't know how ye could get word o that.'

'I'm here,' she says, 'tae lead ye tae within reachin distance of the Water o Life.'

Jack says, 'Oh that's very, very fine. Can I not go now an get it an get away hame, because my faither'll maybe be deid agin this time.'

'Ye canny go,' she says, 'till tomorrow at twelve o'clock.'

So Jack sits doon an he's eatin berries an crackin away tae the lassie till it was dark.

Next day she says, 'Right, it's comin near the time now. Come wi me. Is your sword sharp?'

'Aye', says Jack.

So she takes him down this path till they come tae a circle o rock, like marble. Jack says, 'Where is the well?'

'Oh,' she says, 'there's no well. There's a wee bottle tae ye. Ye'll only get about half a dozen drops.'

'But,' says Jack, 'I canny see a spigot or a well where the Water is.'

'I'll show ye where the Water is,' she says. She lay doon on the rock. 'Now pull your sword out an cut my heid off.'

'Oh,' says Jack, 'I couldnae dae that. No tae a princess like you. No, no.'

She says, 'I'm tellin ye, cut my heid off. When the heid's off, lift it by the hair an instead o blood it'll be water that dreeps. Try an catch it, because the neck o the bottle's very narra. Noo hurry up, for we dinny hiv long. That giant has a brither that comes roond this way.'

So the lassie lies doon an bares her neck an Jack, wha'd niver done onything like that afore, drew his sword an it seemed to go itself an the heid skited off. He held it an got aboot a dozen drops o this clear fluid intae the wee bottle, an pit the cork on it. When he lookit roon for the lassie, what was standin there but the wee burd!

'Now, Jack, the quicker you're back the better for I hear the giant comin. Oh you're too late! Hide.'

As Jack rolled aneth the bushes, he mindit the hazel-nut. So he rummages till he got the hazel-nut an he crackit it and inside was a wee bit o dark cloth. 'Ye're safe,' says the wee burd. 'That's the Cloak o Darkness.'

It seemed tae get bigger an he pit it on an ye couldnae see him. The wee bird flies away in front o Jack an says, 'Follow me an I'll tak ye a near-cut.'

So Jack runs efter this wee burd, past the giant, who never saw him, but he was roarin at the pitch o his voice because he could smell human flesh. He gets to the top o the Glassy Mountain. The wee burd flew doon tae the auld wumman's place an got the Shoes o Swiftness an Jack pointed them back, and down the mountain they went. He jumps on his horse's back an he's through the forest. An when he landed back at the auld wumman's hoose, she telt him tae come in an she says, 'Were ye successful, Jack?'

'Oh aye,' he says, 'wi your help. Long may ye live. I must get hame quick wi this water tae ma faither.'

'Well,' she says, 'before ye go, come ootside.'

So Jack went ootside and the wee burd was sittin on the windae-sole.

'Now,' she says, 'take your sword an kill it.'

'Oh,' he says, 'I couldnae dae that, efter it daein sae much for me.'

She says, 'Take your sword oot, Jack, an kill it, or the Water o Life's nae use tae ye. Now take my word for it.'

'Well,' says Jack, 'tae please ye an for the sake o ma father, but I wad raither lose ma legs than dae that.'

So Jack takes his sword an it didnae take much o a dunt tae kill the wee burd. But as soon as the sword hit the wee burd, what was standin there, but the golden-haired maiden!

'Now,' says the auld wumman tae Jack, 'that's a princess frae the next kingdom tae your father's. She went missin hundreds of years ago. You take her home, an I wish yese happiness.'

So Jack thankit the wumman, put the lassie on his horse an they set off for home. Now the auld man was bad when Jack left an now he's gaspin his last gasp there an some o them were sayin, 'Where did Jack go? Is he no here? An the auld man's deein. O ye mightna heed that fool. He's awa. God knows where he is!'

But later in the afternoon, they lookit doon the avenue an here's auld Meg comin wi this princess an Jack, who jumps off the horse, takes the princess intae the house and says, 'Where's ma faither?'

'Aw he's too auld for ye tae see. Time you were doon at the kitchen gettin water,' says his two brothers. 'You were too long away.' But Jack pushes past them and up tae his father's room. The father says, 'Aw son, are ye back?'

He says, 'Yes, an I got what I went for, father.'

He says, 'What was that again?'

'The Water of Life. Take a wee sup an see whit it can dae.'

So the faither pit this wee bottle tae his mooth an he got a wee taste, an he was as good as gold, turned all virile an gettin up an gettin intae his claes. Jack introduced the princess tae his father. 'I know that kingdom,' he says, 'and I remember hearing aboot that lassie bein enchanted an taken away.'

There was a big weddin an bells were ringing an there was ten days o feastin for Jack an his princess. His father built another castle for them four or five miles from his own an Jack an his princess lived happy ever after.

Told by John Stewart

The Heid

This story's aboot a minister who lived in a manse in this wee village. He was quite a young man and just had a housekeeper. On a Sunday afternoon he would go through the graveyard readin his sermons and the Bible. But one day after church he went away round the end o the graveyard and came to an old tomb place and he went and looked down and saw this skull lying. He touched it with his foot and said, 'My goodness, what a lovely set o teeth!'

So the skull said, 'Aye, it was a guid set o teeth.'

The minister got a shock when the skull spoke to him. Anybody would! He says, 'My goodness, can ye speak?'

'Oh yes,' he says, 'I can speak. I've been lying here a long time. I was the minister here for years and years and years. That house wasnae built at the time.'

So the minister cracked away to it about this, that and the next thing. A lot of Scripture came into their conversation. Then the minister says, 'I'll have to go now. It's gettin time for the afternoon sermon. Could you no come down some day in the afternoon and we'll have a talk, when things is aa finished up in the church?'

He says, 'Oh, I could do that. What about next Sunday around seven o'clock?'

The minister says, 'That'll do fine, then.' So the minister closes his Bible and comes away pondering to himself. He had plenty of food for thought. The skull speakin tae him! He comes down and preaches the sermon, then potters about for the rest o the week. Sunday came and after the service in the church, he comes doon home and says tae the housekeeper, 'I'm expectin a guest, Annie. Set the table for two.'

So when she set the table for dinner, she put two chairs. After a wee while, the minister came in and was standin wi his back tae the fire, and he says, 'Look out the window and tell me if ye see anybody comin.'

'Naw,' she says, 'I see nothin.'

After a while, he says again, 'Look again. Dae ye see onything comin?'

She says, 'The only thing I can see is a thing like a neep comin rollin up the drive.'

'Well,' he says, 'open the front door and let it in.'

So the housekeeper went to the front door and the thing came rollin in the door and right intae the room where the minister was sittin at the table. 'Just go on wi your dinner, minister,' it says. 'You know the likes o this is no use tae me, but you go on an enjoy your dinner and I'll crack awa tae ye.'

So they cracked away and cracked away while the minister had his dinner,

26

till the heid says, 'Well, it's just aboot time for me leavin. I hope next Sunday that ye'll return the visit.'

The minister says, 'Oh I'll do that, heid, but where am I gonny find you?'

'Just you come up,' he says, 'to where ye found me the first day. There's a wee plantin there. Walk roon that way and ye'll know where to go.'

Next Sunday came and efter his service he goes an saddles his horse and goes up roon the side o the wall o the graveyard, round the back and down an when he came tae whaur the wee wid is, he saw an avenue he'd never seen before. He scratched his heid as he looked at it, but took his horse right on up this avenue.

He rode on for about quarter of an hour an here he comes tae a quarry at the side o the road, where there's two workmen shovellin sand. As fast as they shovelled it in, it came skitin back oot again. 'That's queer,' thought the minister tae himsel, 'two men workin on the Sabbath day like that.' But he just goes on past. Then he comes tae a wee thatched hoose and here's an auld wumman, in her eighties and bendy-backit, and a young lassie layin intae her wi a birch besom. 'Oh my goodness,' thocht the minister, 'that's very cruel!' He keeps on goin an he comes tae anither hoose on the side o the road. There's a big stout, farmer-like woman standin at the door, leanin against the jamb and her mouth's gapin open like that, and there's rats and mice jumpin in an oot o it and she's no even noticin them. 'My goodness,' says the minister, 'that's a miracle.' But he jist kept goin.

He comes roon this bend an he sees this cottage wi the door open an the heid waitin on the doorstep. So the minister tethered his horse an came in and the heid says, 'Come in. Did ye enjoy your ride up the avenue?'

'Oh yes,' he says, 'it was very nice. A nice canter wi the horse. Lovely place.'

The dinner was set on the table and the heid says, 'You go on, minister. Meat's nae use tae me, but just you carry on.'

The minister put him on the end o the table and the two o them talked an talked. 'Now,' says the minister, 'there's something I want tae ask ye. When I came up the avenue, I came to a quarry and there was two men there, shovelling as hard as they could at sand. The more they shovelled in, the more came skitin back oot again.'

'Well,' he says, 'they were put there as a parable. Those men were that greedy that they worked Saturday and Sunday, the Lord's Day. When their day come they were put there as a parable.'

'Then there were a wee house,' says the minister, 'where I saw a young lump of a hussy wi a birch besom layin intae a poor auld wumman and I didnae think that was right at aa.'

'Well,' he says, 'she's there as another parable. That auld wumman had that orphan lassie and she laid intae her and licked her, and she was in torture and eventually she died. For every hit she gave the lassie, she had tae get a hundred back, and she's there as a parable.'

'Now,' says the minister, 'what about the other house, where I saw the big woman standin at the door with her mouth gapin open and mice and rats jumpin in and out her mouth?'

'Oh,' he says, 'that was another woman, a bad besom she was. There was a poor tinker woman wi a wee child four or five months auld and she wanted some milk for the wean's bottle and she went an asked the woman tae gie her a pennyworth o milk. Now the woman had a wee dish o milk that a mouse fell intae, and she gave the tinker woman the milk wi the deid mouse in it and it poisoned the wean and killed it. Now she's there as a parable.'

So after this they cracked away, then the minister says, 'Well it's gettin late, I'll need tae get away back noo. I've enjoyed your crack, heid. I suppose you'll come an see me again.'

The heid says, 'When you go back, you'll no know *your* place. Dae ye see that bag doon there?'

The minister looked roond and saw a guana bag. The heid says, 'Take that bag and put it on your horse's back an when ye go back, ye'll have no manse, no house. There'll be a great city there. Ye'll see flyin machines in the air and iron horses on wheels. Ye'll hear noises that you never heard in your life.'

'My goodness,' says the minister, 'how can that be? It's only about a quarter tae nine noo and I came here about half past seven.'

'That's what you think,' says the heid. 'Ye've been here hundreds o years.'

'My God,' says the minister.

'Take that bag,' he says, 'and put it on your horse's back and when ye come tae the outskirts o the city, ye'll see an old, old woman over her nineties, an she'll be flingin oot a basin o water. Ask her did she ever hear tell o a minister that went a-missin. She'll tell ye. But don't come off your horse's back till ye put this bag under your feet, before ye step off the horse.'

So the minister bade farewell and came on back, past the woman wi the rats and mice jumpin oot an in her mooth, past the ither hoose where the young lassie was layin intae the old woman, past where the men were shovellin the sand and down to where he thought his graveyard was. All of a sudden he's just on the outskirts of a city. He stood and scratched his heid and didnae know what tae do! The place is completely different! It was another world! The horse was rearin up in the air wi the noise o the traffic, it was nearly boltin! He was hingin ontae its mane tae keep hissel in the saddle. An aa the people's lookin at him wi his auld-fashioned claes and the weans is runnin alongside his horse cryin, 'Look at the funny mannie! Look at the funny mannie!'

He saw an auld carle o a cratur comin oot tae throw oot her basin o dirty water and he pulls up. 'Excuse me,' he says, 'auld woman.' She looked at him 'Can you ever mind,' he says, 'anythin aboot a minister that went a-missin, years an years an years ago?'

'Well,' she says, 'that's an old, old, old story that's been handed doon fae generation tae generation. I heard ma granny speakin aboot it an it was her granny that telt her aboot the minister an he was never seen again.'

The folks were aa oot standin aroon him because he looked curious wi his auld fashioned claes on and this auld black horse. He says, 'Come here all you people, come round here. I'm gaun tae gie ma last sermon before I go.'

So the folks aa comes roon, crowds o them, weans an men an women, aa standin roon aboot him, altho it was mair fur tae look at him than tae listen tae his sermon. He takes his fit oot o the stirrup and he steps doon, and he forgets aboot the bag and away he went in dust!

Told by John Stewart

The King o the Liars

Once upon a time there was an old man and an old woman and a son an they lived in a wee cottage. The old man was gettin auld and he could hardly work, so the mother says tae the son Jack, wha was always sittin at the fire among the ashes. 'Now Jack, your father's gettin auld and he hasnae lang tae live. So it's time you got startit an got a job someplace.'

'Where am I gaun tae get a job?' says Jack, a man about eighteen or nineteen.

'Oh you'll have to go and look,' says his mother.

'I'll go tomorrow,' he says. 'Ye'll have tae bake me a collop an fry me a cake, an I'll put it in my bag an I'll go.'

So next mornin he got up and his mother was up before him and made him this cake and this scone. 'Now,' she says, 'Jack, I'll give ye a year and be back before the year's up because we're gettin short o money.'

'Och I'll be back before that,' he says.

So he went away an he's wanderin up the road an he's marchin an walkin an rinnin till he's nearly a hundred miles away fae his mither's hoose. He was passin this big gates when he saw a bill up on the gatepost an he asked an auld man that was standin there, 'What does that bill say?'

'Any man that can make the king caa him a liar, he'll get his daughter tae marry and half the kingdom,' says the auld man.

'My, my, that's a good chance for somebody,' says Jack.

'Oh laddie,' says the auld man, 'There's knights and earls gone up there tae try that and they couldnae dae it.'

'I'm gaun away up tae try, onywye,' says Jack. So he went up tae the door and rang the bell and who cam oot but the butler. 'I see a bill doon there,' says Jack, 'and it speaks aboot makin the king call ye a liar an gettin the hand o the daughter an half the kingdom.'

'Oh yes,' the butler says, 'but I'll go in and see the king first.' So he went in and rapped on the door and went in.

'Well,' says the king, 'what is it?'

'There's a man at the door,' he says, 'a tramp kin o man, a very poor-lookin man, and he wants to have a go at makin ye caa him a liar.'

'Well,' says the king, 'he's as good a chance as anybody else. Bring him in.'

So Jack went in an sat down. 'Well,' he says, 'I never wanted to know a lot o stories, but I'll have a go if ye'll give me a try.'

'I'll give ye a try,' says the king, 'but if you're no use, out ye go.'

'Well,' says Jack, 'I'll start with this. My mother had seven sons an the biggest an the biggest brother he was about fifteen feet. He was an awfy size.'

'My God,' he says, 'he must hae been an awfy size o a man.'

'Dae ye mean tae make me a liar?' he says.

'Oh no, I'll not make ye a liar,' says the king.

'Well,' Jack says, 'my next brother was about twelve feet and my next brother was about nine feet and it went right down tae me. I was the last one and I was that small that my biggest and my biggest brother had to lift me up in his hand tae talk to me afore I could hear him.'

'My goodness,' says the king, 'ye must hae been an awfy smaa person.'

'Dae ye mean tae make me a liar?' says Jack.

'Oh no,' says the king, 'I'll no make ye a liar.'

'Well,' says Jack, 'we was oot huntin one day wi a lot o dogs. I cried the whole night tae get huntin wi ma biggest an ma biggest brother. But he says he couldnae tak me wi them, for they'd loss me. I says I wad hing ontae their boots, so he says I could come. But,' he says, 'I lost ma way an I lost him an I fell intae one o the dog's tracks. It was just like a quarry tae me. I couldnae get tae the top o it.'

'My God,' says the king, 'ye must hae been awfy smaa.'

'D'ye mean tae make me a liar?'

'Oh no,' says the king, 'I'll no make ye a liar.'

'My middle-sized brother had a box o bees,' says Jack, 'an the king o the Spanish bees cam owre an started tae argue wi one o my brother's bees. So they started tae fight wi their jackets aff, and the Spanish bee was gettin the best o it. But my brother went oot an gave it a kick an you could see him goin aboot a hunder miles away in the air.'

'My goodness,' says the king, 'that must have been an awfy kick, Jack.'

'D'ye mean tae make me a liar?'

'Oh no, I'll no make ye a liar.'

'Well,' says Jack, 'I was out one day in the garden and my mother came oot an told me tae come in for ma dinner an I was busy an wouldnae come. My biggest an ma biggest brother come oot an made a race at me an kickit me an I landit right up on the moon! I wa sittin cross-legged on the peak o the moon.'

'My goodness,' says the king, 'that must have been an awfy kick!'

'Dae ye mean tae make me a liar?'

'Oh no, I'll no make ye a liar.'

'Well, I was sittin on the peak o the moon an I lookit roon an there was a door at the back o me an who come oot but Old Father Time with a scythe on his shoulder. He says, "What are you doin here?" I says, "I got an awfy beatin fae ma brother an he kickit me up here an I canna get off. Ye must take me in." But the old man says, "Ye canna get in," an he took the scythe off his shoulder an he cut away the peak o the moon, an I came tumblin doon. What was I tae dae noo? Besides ma mither's hoose there's a wee loch an in the loch there are aboot five or six swans, an it was a good thing they were passin. "Oh," they says, "there's Jack comin doon. We'd better spread wir wings an catch him." So they spread their wings oot an I landit on top o their backs.'

'My goodness,' says the king, 'they must hae been awfy strong swans tae catch ye like that.'

'D'ye mean tae make me a liar?'

'Oh no, I'll no make ye a liar.'

'Well,' says Jack, ' they flew an they flew an they flew an they flew till they were near home but they got tired an wan o the swans says, "Jack, we'll have tae drop ye. We canny fly further wi you on oor backs. We're gettin awfy tired." So they cowped me owre an I fell doon an fell doon an fell doon an I struck a rock an I went intae this rock, right up tae ma neck.'

'My goodness,' says the king. 'Were ye no killed?'

'No,' says Jack. 'Dae ye mean tae mak me a liar?'

'Oh no,' says the king, 'I'll no make ye a liar.'

'Well,' says Jack, 'I thought if I had my biggest an my biggest brother tae pull me oot, I'd be aaright. So I worked at ma hand an I got my knife oot o ma pocket an I cut ma heid off. An I says tae the heid, "Run, heid, run, an go tae ma biggest brother an tell him tae come an pull me oot".'

'My God,' says the king, 'that's terrible.'

'Dae ye mean tae make me a liar?'

'Oh no, I'll no make ye a liar?'

'Well,' he says, 'the head rolled an it was rollin an rollin. It had aboot a mile tae go an jist as it was passin a bush, a fox jumped oot and was efter it. So I shouts, "Run, heid, run!" and I workit masel oot an I was rinnin efter the fox an I kickit the fox an kickit the fox an I kickit seven young foxes oot o the fox, an the worst fox's shite is better than you king.'

'You're a liar!' shouts the king.

So Jack got the princess an half o the kingdom.

Told by Alec Stewart

The Birch Besom

Once when I was intae Ireland and I'd pulled my wagon into a backroad beside Letterkenny and I was stayin there for a couple o nights. I was jist makin supper when an auld man was passin. 'Hallo there,' he said, 'How're ye gettin on? Ye've a good fire there.'

'No bad, man,' I says. 'Ye can have a seat there.'

So I gave him a cup o tea an he sat there, an I says, 'Dae ye stay here?'

'Oh yes,' he says, 'I stay at the top o the town. I'm a blacksmith an I've a blacksmith's shop.'

'Oh,' I says.

'And it's a queer way I got that blacksmith's shop.'

'What dae ye mean?' I says.

'Well,' he says, 'when I was a young lad just like yourself, I was on the road. I saw the blacksmith an I heard him chappin away intil this blacksmith's shop. I just dandered over and I says hallo to him and the blacksmith lookit up an he says, "Hallo there," and I says tae him, "Are ye needin onybody for a helper?"

He says, "Are you a blacksmith?"

"Well," I says, "I served two years in a blacksmith's shop."

"Oh well," he says, "I'm needin a man, right enough. But I dinna make very much here in the blacksmith's shop. Just a few horses an that, and a plough or two."

"Oh," I says, "I dinny need much because I havenae a home, I've no place to go."

"Oh well," he says, "I've got a place next door there. It's a wee hoose. Ye can stay there an I'll pay ye aboot ten bob a week. Will that do ye?"

"Oh," I says, "that'll do fine."'

Well, time it rolled on and he was a very good blacksmith, this young lad. One night the auld man was roarin. So he went in and this was the old man lying on the sofa and he looked up and said, 'Hey Paddy, is there something wrong wi me? I'm losin ma breath.'

'What can be wrong wi you?' says the young man. 'Ye were aa right the day.'

'I'm not a young man,' he says, 'If I go, I'll leave the blacksmith's shop tae you.'

'Och away,' says the young man, 'Ye're no tae speak like that.'

But he got worse and worse and the young man sent for the doctor and the doctor shook his head. 'He's full o bronchitis,' he said. 'Every tube in his breast is choked and I can't cure him. We may ease him, but we can't cure him.'

A couple of days after that he died, so the young man got him buried and he carried on wi the blacksmith's shop. He had the whole lot tae hissel now.

33

The old man that was talking to me told me what happened next. 'The very same thing happened again. I was workin one day intae the blacksmith's shop and it was about eleven o'clock, when in walked a young fellow and he says, "Have ye anything tae sort or have ye got a horse tae shoe or onythin?"

"Naw," I says, "I have not."

"I was lookin for a job," he says, "I've got no home and I'm an orphan."

So I agreed to pay him ten bob a week and gie him the house next door, just as the old blacksmith had done wi me.

"Oh," he says, "that'll be grand."

So the young man took his jacket off. "Ye can start the morra," I says.

"Na, na," he says, "I'll start the day."

He was the best blacksmith that ever I saw. He could do anything, an they caaed him Mick. Well, we workit like that for about five years and I was gettin kind o aulder. I said tae Mick, "I think I'll go down to Belfast the day."

"What'll ye do in Belfast?" Mick said.

"Well, tae tell ye the truth I widna tell nae ither body but yersel. I'm goin to look for a wife. I'm sick o makin ma supper an ma denner an ma breakfast masel.'''

So the next day came round and he went down to Belfast and he went tae dances an pubs and everywhere till he was in a guest house and the landlady said tae him, 'Where do ye come from, Paddy?'

'I come from Letterkenny,' he says.

'Oh Letterkenny,' she says, 'And what are ye doin here? Ye've been here about three or four days.'

'Well,' he says, 'tae tell ye the truth, I'm lookin for a wife.'

'Och,' she says, 'there's plenty of them knockin about. Just wait a couple of hours and I'll get ye one.'

So he's sittin waitin, ye know, and this lassie comes in an she comes owre an spoke slow tae him an hearkened tae him. The landlady says tae him, 'How would that one do?'

'Ach, ye're jokin,' he says. 'That woman wouldnae take me! She's only about twenty or twenty-one.'

'It doesnae matter,' she says. 'She's no home an she's orphaned.'

'Oh well,' he says, 'she's the same as masel.'

So she went over an spoke tae the lassie an the lassie came over an spoke tae him an the two o them combined wi each ither an she came home wi him tae Letterkenny. Mick was workin away there and when the blacksmith came in Mick says, 'Well, did ye land lucky?'

'I did,' he says, 'a beauty she is. But we're not married yet.'

So Mick came and looked at her. 'By God,' he says, 'if she's as good as she looks, she'll be a topper. Generally when they've the good looks, they're a bad wumman.'

Paddy says, 'Well, she knows the door if she's bad.' They went and got married next day by special licence.

Time rolls on and oh! she was a good woman, a good baker and a good woman for makin grub. One night, however, she was oot tae the toon and she came back soakin wet, the water was rinnin oot her. 'My God,' says Paddy, 'why did ye go out on a day like that? Did ye no take your umbrella or your waterproof coat?'

She says, 'Ach, I forgot aa aboot them. It was a good day when I went away.' The next night she says, 'Paddy I don't feel so well.' She turned worse in the middle o the night so they sent for the doctor. The doctor came an he says, 'My goodness, she's turned an she's got pneumonia. Have you got any poultices?' In those days it was oatmeal poultices, so they made poultices all night, but the woman died the next mornin.

So Paddy went to Mick an he said, 'She's dead.'

'Oh no,' says Mick.

'Yes,' he says. 'It's wi her goin out wi no coat, no shawl, nor nothin.'

They sat up three nights wi her an had the funeral an they went to the funeral in a jauntin car.

So Paddy's sittin noddin comin hame an he says, 'It wasnae a bad funeral.'

'Oh,' Mick says, 'it was a good funeral.'

So they travels on and Paddy's just aboot sleepin when Mick pulled up the horse. He says, 'Paddy.'

Paddy lookit owre. 'What's wrong?' he says.

Mick says, 'Dae ye see what's comin? If I'm no far mistaken, there's somethin queer gaun on here.'

So they sat there an this person come right up tae them. It was his wife! Her they burit that day! 'My God,' says Paddy, 'it canny be her.'

'Yes, it's her right enough,' Mick says.

She says, 'Whit are ye daein here? Ye better get hame an get the kettle on.' She had a basket on her arm full o messages, so they went hame an put the kettle on. Paddy went across an felt her arms and her shoulders, an she says, 'What are you doin?'

'Oh nothin at all,' he says.

Mick says tae him on the side, 'The best thing we can do is go down to the priest,' so they went down and told him the whole story. 'Well,' says the priest, 'that's impossible. Ye burit her the day. She canny be up at the hoose.'

'Well,' says Paddy, 'come up an ye'll see.' So the three o them came tae the hoose an they pit the priest in. 'Hallo,' he says.

'Hallo, Father,' she says.

'How are you gettin on?' he says.

'Oh I'm champion,' she says, 'couldnae be better.'

So they come oot an the priest spoke tae Paddy and Mick. 'Wait till tomorrow mornin,' he says, 'an we'll take up the coffin an see what's in it.'

So the next mornin they went down to the graveyard an got the gravedigger an they dug the grave up. An do you know what was in the coffin? A birch besom! Aye, a birch besom. An that woman lived for about twelve year after.

Told by Alec Stewart

The Shearer of Glenshee

I was jist a lassie when I first heard this story. There was this auld man makin up Glenshee towards the Bridge o Cally in the far back-end o the year, when an awfy blizzard began tae blaw up, wind snaw and sleet. When he got tae aboot the Spittal o Glenshee it's gettin jist unbearable an he says, 'I doot I'm goin tae be smothered in this snaw.' The Devil's Elbow really *was* a devil's elbow at that time! An he looked an he says, 'Is that a light I see? Spare me God tae get tae the door o that hoose.' Just as he was goin tae the door the collie dogs in the cairt shed started barkin. He trachelt on, keepin his heid doon for the gale an batter-battered at the door. An auld wumman an man was sittin at the fire, an one says tae the ither, 'There's somebody at the door.'

'Away, for God's sake, wha wad be at the door on a night like this?'

They sat quiet for a wee while but here it comes again. 'I think you're right,' says the auld man. 'There *is* someone at the door.' The auld man went tae the door an held up the lantern and he saw the stranger. 'God bless me!' he says. 'Whoever ye are, come inside.' They took him owre tae the fire an they gied him a dram and let him sit by the fire for a good while.

'I dinny ken where tae go the nicht,' he says. 'Have ye ony place ye could gie me tae lie doon in?'

'Oh aye,' says the auld fairmer, 'I'll gie ye a place tae lie doon.'

So the fairmer took him oot tae the barn. 'Now,' he says, 'I hope ye'll no be strikin matches for I'm no wantin the place to go on fire.'

'I'll no strike a match the night,' says the auld man, 'for I dinny hae ony tobacco for my pipe.'

Next mornin the snaw had stopped but there was aboot three feet had fallen durin the night. The fairmer says tae his wife, 'I wunner if that auld man's still there.' So he trudged owre tae the barn an here's the auld man sittin amang the straw. 'Ye'd better come owre tae the hoose an get something tae eat an something warm tae drink.'

So the auld man came owre an the snaw was on an off in heavy shooers for a hale week. So the auld man began to help the fairmer, cuttin neeps for the cattle, helpin him tae bed them, daein wee odd jobs aroon the fairm. It wore on until the weather kind o cleared and the auld man says, 'I'll have tae get goin.' But he was such a good worker and such a civil auld cratur that the fairmer says, 'Will ye no bide wi me an gie me a wee hand aboot here till the Springtime?'

He thocht for a wee while, for he didnae dae muckle work, just gaed fae door tae door tae get his livin. But they got him persuaded an he bud at the farm a good while. He wasnae content bein in the barn, he wasnae comfortable there, because he wasnae allowed tae smoke, so he says tae the auld fairmer, 'Is than an an auld shed ye hae doon there?'

'Aye,' he says, 'that used tae be the place I kept ma wool in, a kind o buchts. We used tae hae the fanks doon there for dippin the sheep.'

It was pretty shabby an faain tae bits, but he sortit it up an he bud maist o the simmer there. Then the sheep shearin time came roon and then the fairmer says, 'Will ye gie us a hand wi the shearin?'

'Man,' he says, 'I dinny think I'll be muckle good at that. I've never had onything tae dae wi shearin.'

'Oh,' the fairmer says, 'It's no hard tae learn.'

The fairmers used tae come over fae Glenisla an help the Glenshee people wi their shearin, an when they were finished, the Glenshee folk would gae owre tae Glenisla. So it wis the fairmer's clippin day an two or three came from Glenisla owre tae help, an the auld man's watchin them. 'Well, it doesnae seem a hard job,' he says. 'The only difficult bit I see in it is haudin the sheep doon.'

He had a go at it the first day an he was makin an awfy good job o it, but it's takin him too long because he hadnae the knack o the thing. Anyway it went on till he's gettin better an better, an it came the turn noo that the folk fae Glenisla wanted the clippers to go over there. So the auld man went owre tae, an he was becomin expert at it, he was daein twa sheep for the ither men's one. So he became very well thocht o.

But one day he was up on the hill wi the collie dog an it came on a thunderstorm an he got soaked an he was fair trachled comin through the heather tae his wee hut. That night when he hadnae come up tae the fairm for his milk, the fairmer says, 'I wonder what's wrong wi him.'

'Och,' says the auld woman, 'he'll be tired an he'll jist be lyin doon.'

So they forgot aboot him that night. But he didnae come up the next mornin so the fairmer took a walk doon an here's the auld man lyin an he wasnae well. He was really fevered an breathin awfy heavy an he'd a bad cough. 'Oh,' he says, 'I got an awfy soakin on the hill an when I come hame I jist lay doon.' He'd lain doon wi the wet claes on him an he didnae even light a fire. 'I'm no feelin well the day at aa,' he says.

'I think ye'd better come away back up tae the barn,' says the fairmer. 'We'll mak ye mair comfortable up there.'

'Na, na,' he says. 'I'll bide where I am.'

However the fairmer kennled up the fire an went up tae the hoose an got some dry blankets, an next day he didnae seem sae bad. But in the efternoon again, the fairmer went doon an he was really ill wi a great fever, awfy temperature. The fairmer went on horseback tae Blair tae get the doctor, but he wouldnae come that day and by the time he came next day tae see the auld man, he was in a coma. He hung on for two or three days like that, but he never regained consciousness, and he died.

They didnae ken onything aboot his relatives or where he come fae, an the fairmer explained how he'd come tae the hoose on a cauld winter's nicht an had been there ever since. They made arrangements tae bury the auld man an they come fae Glenisla tae the funeral, seein he was sae well kent there, as well as in Glenshee. They had tae cairry him up tae the wee kirkyaird an it was fully a mile if no mair. The men fae Glenisla an the men fae Glenshee were cairryin him but havin so far to go through the rough heather, they got tired and laid him doon tae rest theirsels. Then an argument got up among them that he was as much belonging to Glenisla as to Glenshee an the Glenisla folk wantit tae take him owre tae Glenisla but the Glenshee folk said, 'Na, na, he should be buried in Glenshee.'

I suppose they had a fair dram because they usually took a good dram at funerals in those days. A lot o them made their ain whisky, up in the hills. Wi them haein a dram in them, they began fightin aboot where he wis tae lie.

Noo it was in the middle o the day, just broad daylight, an suddenly it became darker than twelve o'clock at night, pitch dark. The one couldn't see the other that was standin beside him. They stopped fightin, for they wondered what was wrong. An it was that way for a good while. Then suddenly it was daylight again and when they looked, there were twa coffins,side by side! Twa coffins instead o one. So naturally they got a fricht and asked God tae bless them an hoped it wasnae their fightin that caused it. So the Glenisla men took one coffin and the Glenshee men the other, an there's one buried in Glenisla an the ither in Glenshee. And to this day they do not know where the Shearer o Glenshee is buried!

Told by Belle Stewart

Friday, Saturday

This is a story about a lady and gentleman who lived in a big castle and had had no family, and as time went on they began to get a bit worried because they had nobody to leave their estate tae. The old laird was wannerin through the garden this day an he's very depressed and suddenly oot frae below a bush comes this wee fairy man.

'Ye're very depressed sir,' he says.

'I *am* very depressed,' says the laird.

'What's up wi ye?'

'Well, we've no faimily,' says the laird, 'nobody tae leave the estate tae.'

'Oh,' the fairy says, 'I think we could sort that oot. Go down tae the bottom o your gairden there and look in the well and ye'll get a broon trout about half a pound weight. Take it tae your cook and tell her tae cook it and give it to your lady, and for the peril o your life don't let any other body eat this trout but the lady.'

So the laird went down to the well an there was this trout an he took it out an took it tae his cook. 'Now,' he says tae the cook 'Cook it for the lady o the house and I don't want any little bit o't tae enter anybody's mouth but her mouth.'

The cook took the trout and she gutted it and salted it and fried it all lovely and brown. An it was that nice-looking and tasty-looking, she says, 'I wonder if I break a wee bit off this tail if jt'll no be missed.' So she broke just a tiny wee fraction off the tail an she pit it intae her mouth and ate it, an she says, 'Oh, that's lovely!'

She put the troot on a breakfast tray an took it up tae the lady. 'There's your breakfast,' she says.

Time drew by to the odds o nine months time and this cook gave birth to a baby boy, on a Friday. Then on Saturday mornin the lady o the house gave birth to a baby boy. Everything was in turmoil! The two weans were christened Friday and Saturday. These two boys grew up together and they were just like peas in a pod. Ye wouldnae know one from the other and the laird just called them two brothers.

Friday got up early one mornin an he says, 'Well, I think, father, I think I'll go away an see what I can see round the world an see if I can get onythin to do, for I'm sore browned-off sittin here every day.'

'Well,' the old laird says, 'please yersel, son, please yersel. The estate's here for ye whenever ye like tae come back. Ye're free tae go any time ye want.'

So the next mornin he got up very early an he got his huntin hound and his hawk an away he set sail God knows where. He travelled for three or four weeks an this night it got very dark an the rain was pourin down. He's comin trudgin along the road an he sees this wee light. 'Here's a wee hoose,' he says, 'I'll go in here and I'll ask for some place to stay the night.'

He tied up his horse an goes an chaps at the door an this oul woman comes out, 'Oh,' she says, 'Ye're there Friday!'

'Oh,' he says, 'how do you know my name?'

'Oh,' she says, 'I know your name, son, very well. Come away in. Ye're very wet an tired. Just take your horse roon the back an your dog an your hawk. They'll be all right there.'

The old woman fed him well and gien him a good bed. In the mornin he got up an she says, 'What are ye doin up this way?'

'I'm lookin for work,' he says.

'Well,' she says, 'this is the gatehouse o the big estate up there an they're lookin for a man tae look efter the horses.'

'I can look efter horses,' Friday says, 'I was brought up wi horses aa the days o ma life.'

So up Friday goes tae the big hoose and rings the bell. Out comes a man who says, 'What do you want?'

'Well,' he says, 'I hear ye've got a vacancy for a man that looks efter horses.'

'Oh yes,' he says, 'we have. Just a minute and I'll go and see the lady.'

He's away aboot five minutes an he comes back this young lady wi him.

'Can ye look after horses?' she says.

'I've been daein that aa the days o ma life.'

'Oh well,' she says, 'you're the man we want.' She says tae the butler, 'Take him round an show him the stables.'

Away he went doon tae the stables an he was there a good long while. He lived up abeen the stables an aa his work was below him. Every day this young woman wad come down an she wad admire him, for he was good-lookin an he did his work well, everything was first-class. She began to get very fond o him and to make a long story short, she and Friday got married.

Now, there was a big celebration and after the celebration was finished, they went up tae their beds. Up the stairs they went tae this room and he bein a gentleman, he went intae the bathroom till she got intae bed. When he came back, she was in bed, but out frae below the bed came this big broon hare.

'Where did that come fae?' he says.

'Oh,' she says, 'it must have got in through the windae. Forget aboot it!'

'I'm gonnae get this broon hare,' he says. He's doon the stair an oot on his horse after this broon hare an its goin roon aboot him in circles an he couldnae blaw saut on this hare's tail. He's after this hare on this clear moonlight night an he's owre fences an owre dykes an owre ditches. The hare wad go a wee bit afore him, then it would stop an he wad come up an it wad go away again, till it led him away miles an miles fae the big hoose intae the moorland. He lost sight o it on the dark moorland among the heather an the rain startit tae come doon an it got affy dark.

'There noo,' he says, 'I'm daein well noo! I'm miles fae hame an I don't know where I am owre the heids of this daft hare.'

He's wanderin on, on horseback, when he sees this wee licht away ahead o him. 'Oh,' he says, 'there's the castle.' But when he came up tae this licht, it wisnae the castle, it wis a wee thatched hoose. He luckit through the windae an there wasn't a sowl in the hoose, but there was a great big fire burnin an everythin seemed tae be nice inside. 'I think I'll go in for a heat,' he says. So he left his horse and rapped at the door. Nut a sowl! He opened the door and went in and it was a peat fire roarin up the lum. An in the corner was a pig and a bing o wee pigs, lyin in a pen. He sat down in an auld fashioned chair an he's heatin hissel at the fire. 'I'm awfy hungry,' he says. 'I wunner, if I could kill some o they pigs.'

He went owre an he caught one o these young pigs an he kilt it an took aa the puddens oot an stuck his sword in it an roasted it on the tap o the fire. The gravy's rinnin oot an it's jist aboot ready tae eat, when a chap comes tae the door. 'Come in,' he says.

'Naw,' says a voice, 'I'm no comin in. I'm too feart tae come in.'

'Ye maunna be feart,' he says. 'I'll no touch ye.'

'I'm no feart o you. But I'm feart o that lang-leggit thing ye have there. I'm feart of that hawk an I'm feart o that hound.'

He'd taken his horse an hawk an hound in wi him because o the weather. He went tae the door an this was an oul woman wi her teeth growin six inches oot o her mou, an auld witch. 'God bless me,' he says, 'will ye no come in, auld woman?'

She says, 'I'm feart your horse'll kick me. An I'm feart your hawk'll pick oot ma een. An I'm feart your hound'll bite me.'

'They'll no go near ye,' he says.'

'Tie them up,' she says.

'I've naethin tae tie them up wi,' he says.

She pulled three hairs oot her heid an says, 'Tie them up wi that!'

'Tie them up wi that!' he says tae hissel. 'I doot this auld woman's silly.' But he tied wan o the hairs roon his horse's bridle and did the same wi the hawk an the dog. 'Right,' he says, 'they're tied up. Come in noo.'

She cam in an sat on the ither side o the fire, a terrible oul witch. He startit to roast the wee pig again an she said, 'Are ye gaun tae gie me a wee bit o that?'

'Oh aye, granny,' he says, 'I'll gie ye a wee bit o't when it's ready.'

Efter he got it ready, he tore a hind leg off it an gien it tae her an she rummelt it in the ashes an in seconds it was away? She'd eaten it!

'Gie me anither wee bit,' she says. He gien her a foreleg an in seconds it was away tae! 'Gie me anither wee bit,' she says.

'Ye can fairly eat, auld woman,' he says, an he laid the ither foreleg aside an gien her the body an the heid.'That should dae ye.'

She rummelt them in the ashes and in seconds they were away! 'Auld woman,' he says, 'I dunno how ye saut, but ye spice gey weel wi that dirt ye pit intae ye.'

'Gie me anither wee bit,' she says.

'Now, I've gien you mair than three-quarters o it. I've only got the ither leg left for masel.'

'Gie me the rest o't,' she says, 'or it'll be the waur for ye.'

'Ye're no gettin ony mair,' he says, an he liftit the rest an scoffed it.

'Ye're gonnae dearly rue the day ye did that,' she says.

She made a dive at him an she's knockin hell oot o him in aa directions. She's kickin him an boxin him an bitin him an tearin him. He roared tae the dog, 'Hound come an gie me a wee hand here an see if ye can bite the leg aff this auld woman.'

'I canny move,' the hound says, 'I canny move an inch. This hair ye tied me up wi 'll no let me go. I'm near chokit wi it.'

'Hawk,' he says, 'could ye come an tear the face off her?'

'I canny move aither,' says the hawk. 'I'm tied firm an fast.'

'Sae am I,' says the horse.

'Dae ye see noo?' she says, an she took this wee lang rod an she turned him intae a grey stane at the door o the wee hoose. So that was the last o poor Friday.

Now Friday was a good while awa fae his hame an Saturday began tae get worried aboot his brither no comin back. 'Look Dad,' he says, 'I think I'll go an look for him.'

'All right,' says the old laird, 'away ye go, son, an look.'

Next day Saturday set off wi his horse an his hound an his hawk and as luck would have it, Saturday went the direct same road as Friday. An he comes tae the same wee hoose in the same situation. Just the same, it was a dark stormy night an the woman says, 'Oh, it's *you* Saturday.'

'Aye,' says Saturday. 'How did you know my name?'

'Oh,' she says, 'fine I know you and I knew you were comin. Put your horse an your hawk an your hound round the back and come away in.'

So Saturday cam in the hoose an got his supper and a night's sleep.

'Now,' she says, 'are ye lookin for your brother?'

'Oh aye,' says Saturday, 'I am.'

'Well,' she says, 'it's over a year ago he went up tae that big hoose and I never saw him since. He went up tae get a job.'

'I'll go up an see,' says Saturday an he went up tae the big hoose an the minute he rode up tae the front door, the young woman came rinnin oot. 'Oh,' she says, 'you're back!'

Now Friday an Saturday were like two peas in a pod. Ye wouldnae know one fae the other. Now this young woman though Saturday was Friday, who she'd married an she thought it was him back.

'Where were ye aa this time?' she says.

'Oh,' says Saturday, 'it's a long story.' Saturday was keepin dumb! So Saturday come in an he asked no questions. They had their supper an it come tae bed time. So Saturday played along an went up tae the bedroom wi this young woman, an she took aff her claes an went intae the bed. He took his sword aff his middle an he pit the sword langweys atween them in the bed. 'Noo this is the thing we dae,' he says, 'where I come fae, the first night we're married.'

He jist went tae get aff his claes, when this broon hare jumped oot fae below the bed. 'Oh,' she says, 'there's that hare again, that ye went after.'

'Oh,' he says, 'that's it again. I'll get it this time.' He jumpit on his horse's back an he went efter this hare, jist as Friday had done. This hare's rinnin here, there an everywhere, but it's no comin close enough for him to get a grip o't. He's efter this hare owre fields an owre marshes an owre dykes an it wad run an it wad stop an it wad come back an it wad cairry on. But finally it cam tae this dark moor an he lost sight o the hare. 'There noo,' he says, 'I've lost the hare. God knows what I'm gaunnae dae noo.' An it was dark an rainin as usual. But he saw a light an he says, 'Oh maybe that's the light o the castle.'

But when he comes tae this light it wasnae the castle, it was the same wee hoose where Friday went. He jumpit aff his horse, looked intae the door an saw this great big fire burnin, just the same as wi Friday. In he goes wi his horse an his hound an his hawk. The wee pigs were in the corner an took one o these wee pigs an he's roastin it when a rap cam tae the door.

'Let me in! I'm cauld and weary an hungry,' says the voice.

'Come in, whoever ye are,' says Saturday. 'Come in oot o the cauld.'

'Aw, naw, naw,' says the voice, 'I'm too feart tae come in.'

'Ye michtna be feart,' says Saturday. 'I'll no touch ye.'

'I'm no feart o you,' says the voice, 'I'm feart o that lang-leggit thing, an that hairy-nebbit thing, an that shairp-beakit thing ye hae.'

'They winna touch ye,' says Saturday. 'Just you come in.'

'Naw, naw. Ye better tie them up.'

'I hae nathin tae tie them wi.'

'I'll gie ye somethin. Here's three hairs fae ma heid. Tie them up wi that an I'll come in.'

She gien him three hairs oot o her heid but instead o tyin up his animals he cut the hairs up an pit them in the back o the fire. 'They're tied up noo.' he says. 'Come away in.'

In she comes and she sat in a chair an he's roastin his pig. She says, 'Are ye gaun tae gie me a wee bit?'

'Oh,' he says, 'I'll gie ye a wee bit, granny, aye, certainly.' He tore off a hind leg an gien it her. She's rummelt it among the ashes an in seconds it's away. She did the same wi the front leg, an he's still eatin the other hind leg. 'Are ye gaun tae gie me anither bit?'

'Ah well,' he says, 'there's the body an the heid tae ye.'

In seconds they're away tae, and she says, 'Ye'll need tae gie me anither wee bit.'

'Aw, naw,' says Saturday, 'I've only one leg left an this is the one I'm eatin. I've gien ye the front leg an the hind leg an the body. That's mair nor three quarters o't.'

'Ah but ye'll need tae gie me the lot.'

'No,' says Saturday, 'I'm no gien ye ony mair.'

'Ye'll better gie me or I'll make it worse for ye,' she says.

'Your brother was here,' she says, 'and he wadna gie me the last of the wee pig an noo he's lyin peaceful and quiet.'

'Well, you're no gettin this,' he says, an he liftit the leg an ate it.

Oh just like that she riz! She's at Saturday an she's punchin an haulin an tearin at him an she's gaun tae kill him. 'Hey,' he says tae the horse, 'come here an gie me a hand.'

'Oh,' says the horse, 'I'll dae that.'

'Haha!' she says. 'Haud, hair, haud!'

'How can I haud, when I'm at the back o the fire burnin?' the hair says.

The horse came oot an it's kickin the auld woman and knockin her aboot, but she was gaun for the pair o them an he roars tae the dog an the dog joined in. But she was gaun tae conquer the dog so Saturday shouts tae the hawk, 'C'mere an see if ye can scart the een oot o this auld woman.'

On came the hawk an he flew at her an tore at her, an she couldnae see what she was daein and Saturday got the better o her an wi the horse kickin her, they finally got her doon.

'Spare my life,' she says, 'Saturday, spare my life.'

'I'm no gaun tae spare your life at aa,' says Saturday. 'I'm gaun tae paste your throat wi this sword.'

'I'll gie ye gold, and I'll gie ye silver,' she says. 'I'll gie ye diamonds that'll make ye a millionaire, if ye spare ma life.''

'What did ye dae wi ma brother Friday?' he says.

'Oh,' she says, 'I'll tell ye where he is. He's oot at the door there, turned intae a grey stane, wi his horse an his hound an his hawk, they're aa turned intae grey stanes.'

'Well, how dae ye turn them back again?'

'Spare ma life an I'll gie ye the Rod o Enchantment.'

'Ye'd better gie me it,' he says and gien the sword a wee jag intae her. So she gien him the rod and he touched this great big lang stane at the door an up sprung his brother Friday.

'Oh,' he says, 'ye're here, Saturday.'

'Aye,' says Saturday, 'she'll no turn ye ony mair.' An he touches the auld woman an she turns intae a grey stane. Then he touched the other grey stanes an his horse an his hawk an his hound jumpit up alive. An he was touchin aa the grey stanes roon aboot an ladies an lords were risin up that the old woman had enchanted wi this rod. Friday says, 'That's very good o ye, doin that. Noo, seein you've got aa the money an the castle, ye might gie me that wee rod.'

'Here it is,' says Saturday, 'if it's any good tae ye.'

So, they set out back across the moor for the castle. So Friday startit tellin him aboot the marriage wi this lady an the hare. 'Oh,' says Saturday, 'that's right enough. I was up there last night and I was in bed wi your wife.'

'What!' says Friday. 'Ye shouldnae hae done that.'

'She thought I was you,' says Saturday, 'wi us bein alike.'

'Oh,' says Friday, 'that's one o the worst things ye've ever done in your life. I'm goin tae sort ye oot for that.'

'Oh no,' says Saturday, 'I didna mean ony hairm.'

But Friday hit him hard wi the rod and turned him intae a grey stane.

Hame came Friday doon tae the castle an this young lady is waitin on him, an she was gaun mad aboot him goin away for the second time, goin mad efter this silly hare.

'That's a terrible thing,' she says. 'Rinnin away like that.'

'I don't think,' he says, 'I'll run away the nicht.' So efter supper they went up tae their bed an when they were lyin in bed she says, 'That was a funny thing ye did last night afore ye went away after that hare.'

'What was that?' he says.

'Puttin the sword atween us in the bed,' she says. 'What did ye dae that for?'

'Oh,' he says, 'I see. Is that what I did? Oh ma poor brither! That's what he did—put a sword atween you an him so the wan couldnae come across tae the other.' So he jumpit oot o bed an took the Rod o Enchantment an come back tae where his brother was lyin as a grey stane. He touched the grey stane and of course Saturday jumped up natural enough.

'I'm sorry, brother,' he says, 'I took ye up very wrong. My wife was tellin me aboot the sword ye put atween ye.'

'That's right,' he says, 'I'd hae telt ye aboot it, if ye'd gien me the time.'

'Oh,' he says, 'I'm sorry.'

So the two o them went back doon tae the castle an they had a great ball and a great celebration an the two o them lived happy ever after. I don't know if that's a lie or the truth but that's the way I heard it!

Told by Willie MacPhee

The Speaking Bird o Paradise

Hundreds of years ago there was a king and his beautiful young wife an he was wantin an heir to the throne. The queen's sister actually ran the house and she had the servants aa under her finger. Soon the king was told that the queen was in the family way and he was overjoyed. Time rolls past until the queen is having her confinement, while the king was away shooting. She gave birth to a son and as soon as it was born, the queen's sister's away with it. She gave it to the housekeeper to take away as far as she could, so the housekeeper carried it through the forest till she came to this auld woodcutter's house and she gave them the bairn. This man and woman were overjoyed tae get the bairn, because they lived themselves and company was company even if it was a wean greetin. The queen's sister put a cat in her bed, before the king came hame. When he got back he says, 'Is the queen all right?'

'Oh yes.'

'I have to go up to the queen and see.' So he's up and there's a cat lyin in the bed. 'Oh my God!' he says, What's this? I won't have this! Are you sure she had a child?'

'Well, that's what she had,' says the queen's sister. 'We can't help it.'

'I'll punish her,' he says, 'when she rises from that bed. I'll give her a term in the dungeons.' So when the poor queen got up, the king's taken her and puts her in the dungeons for about three months as a punishment, because he thought there were witchcraft attached to her.

When he takes her back oot again he says, 'I'll gie ye another chance.' So time rolls by again and the queen falls in the family way again, and the king's away someplace shootin or fishin. It's another boy, and the queen's sister rows it up in a blanket and the housekeeper's away wi it an they pit a dog in the bed, a big pup. The king comes back an he says, 'I'll go up and have a look.'

He sees the pup lyin in the bed and oh! he nearly killed the queen, he battered her ears an put her doon in the dungeons again and he keeps her there for six months, till the woman doesnae know where she is. She's half mad. The housekeeper leaves the other baby right oot tae the man and woman in the forest. An the king's ravin an rantin up an doon an wonderin what's wrong.

At the end o six months he takes the queen oot again an he says, 'Now, look, I'm gien ye your last chance!'

'Well,' she says, 'I canny help it. I never did onything.'

So she falls in the family way again an they sneak the baby oot in a blanket an the housekeeper's away tae the forest wi it tae the samen place. The king comes back an looks in the bed an it's a block o wood this time, a block o wood thay ye wid split tae put on the fire.

46

The king takes the queen. 'That's you finished,' he says. 'Into the dungeon!'

Now away in the forest wi the old man an woman, the two boys grow up an grow up till there's one aboot fifteen an one aboot seventeen and the last one was a lassie an she's aboot twelve. The oldest boy's oot one day gatherin sticks, when an old woman comes by as he's sittin eatin his piece. 'Hallo, son,' she says.

'Hallo, old woman,' he says. 'It's a nice day.'

'I'm oot for a puckle o sticks,' she says, 'an I've got this wee lot, but I'm feart tae let them off my back because I might no get them on again.'

'Where do you stay?' he says. 'I'll carry your sticks.'

So he helps her wi her bundle o sticks and halves his piece wi her.

She says, 'Ye know, you're royalty.'

'What's that?' he says, because he didna ken whit royalty was. They were never at school in the dense forest. So the auld woman tells him the story. 'It's an awfy distance tae where ye come from and if ye were going I don't suppose that they'd believe ye. But I'll tell ye whit, if you can go an get the Speaking Bird o Paradise, everything would come aa right.'

'Oh,' he says, 'thank you very much, but what's goin tae happen tae ma mother an father when I'm awa?'

'Aw,' she says, 'they'll no live for ever.'

He went back home an was doin this an that but the next thing, the auld man dies suddenly an they had tae bury him an then the auld woman dies as quick an they buried her. So the two boys an the lassie are sittin at the fire and they're talkin about what the auld woman in the forest told the brother.

'I'll tell ye what I'll do,' says the eldest brother. 'I'll go back past where that old woman stays an I'll see if I can hear anything more aboot this. There could be some truth in it.'

'Well,' says the ither brither, 'that's fair enough. We'll look after the hoose til ye come back.'

So the boy gets up in the mornin an the lassie bakes him a couple of collops an he comes oot the door an says tae his brither, 'I've got my pocket knife here, an I'll stick it in that tree there. If anything goes wrong wi me, the blade o ma knife'll turn red, wi spots o blood on it.'

'Aa right,' says the ither brither, 'but I hope there's nothing happens.'

Away he goes over sheep's parks, bullocks' parks an aa the parks of Yarrow, till he comes past where he had been looking for the sticks an he met the old woman.

'I see,' she says, 'you're going.'

'Oh aye,' he says. 'Now, ye'd something tae tell me.'

'Aye,' she says. 'Ye'll have tae go up the Sleepy Glen. Every step ye mak ye'll feel like dropping. But for God's sake, don't faa asleep.'

'Ach, I wadna believe that,' he says. 'Where is the glen an I'll find oot for maself?'

So the woman telt him where the glen was. He didna have much truck wi her for he was in a hurry. So he goes away an comes tae this glen. There's a hill on each side, an a rock here an a rock there, an a stannin stone here an a stannin stone there. He wasnae a hundred yards up the glen when he leaned against an old rock an he's out! He forgets everything!

The other laddie and lassie's waitin at hame an they looked at the knife in the tree every mornin. An he comes oot one mornin an the knife's red. So he says tae his sister, 'There's something wrong wi Jack. I'll need tae follow him up an see whit's wrang.'

'Fair enough,' she says. 'I'll just try an manage here till ye come back.'

So away he goes an eventually passes by where the auld woman is. 'Hallo,' he says. 'Did ye see a fella passin here some time ago?'

'I saw him,' she says, 'but he wouldnae pay attention to me.'

'What happened to him?' he says.

'I told him,' she says, 'tae go up the Sleepy Glen to look for the Speakin Bird o Paradise that I told him aboot. He wouldnae heed what I telt him an he fell asleep some place in the glen. If he'd ha listened tae me I wad hae telt him whit tae dae.'

'Well,' he says, 'I'll be only too glad, auld wife, for ye tae tell me anything at aa tae get ma brither back.'

'Look,' she says, 'stay here all night and you'll be in plenty of time in the mornin.'

So she made him bed doon in front o the fire. When he gets up in the mornin, she gies him barley bannocks an some gruel. Then she says, 'Ye'll go fae here, but don't hurry. Take your time. There's a whistle tae ye. When ye come tae this glen an ye feel yourself gettin tired or drowsy, blow this whistle. Blow it every time ye feel yersel gettin tired. Don't fail in that.'

So he takes the whistle fae her an thanks her very much. Then she gave him a loaf of bread. 'Now,' she says, 'when ye come tae the top of the glen, there's two lions on golden chains an ye'll have tae break the loaf in two an throw a part tae each lion. When they're eatin the bread, ye've tae run through tae this tree, wi golden leaves. Spread the leaves back an ye'll see the Speaking Bird o Paradise in a golden cage. Grab it quick an get back oot past the lions before they finish the bread.'

Then she gave him a fir cone. 'When you're comin down the glen, every stone that ye see, touch it with that fir cone.' So he thanked the old woman very much an he's away on an on, pickin berries when he was hungry and he comes tae this glen an there were rocks an funny-shapit stones there an a wee auld ruined hoose. He could feel himsel gettin sleepy an he blew the whistle an comes tae himsel again. An he kept blowin the whistle an walkin till he come aboot three miles up the glen. Then he saw a coppery glow and what was this but a tree, a bushy tree, just like a wee small apple tree, glitterin wi golden leaves, it very nearly took an blinded him. An there's a lion on that side an a lion on this side, wi golden chains an buckles on their necks an they're writhin tae get at him. But he takes the loaf out o his knapsack an breaks it in two, an flings one bit tae one lion an one bit tae the ither lion an runs past them. He spreads the leaves back and there was the Speaking Bird o Paradise. A more beautiful bird ye never saw in your life, wi big long curled feathers in its tail, all the colours o the rainbow. An he put his hand up an took the cage off an ran through the gap an right oot past the lions. Then he was comin doon the glen an touchin this rock an that rock wi the fir cone an this was a knight in armour, and next it would be a young farmer in clothes frae years an years before that, aa those that had fallen asleep goin tae look for the Speakin Bird o Paradise. He touched that many rocks an stones, there were like a regiment behind him. They were aa rubbin their eyes an lookin aroon an sayin, 'Where was I? I must hae fallen asleep.' Some o them must hae been there for thousands of years. An there were crowds of them, hundreds. Then when he come down near the fit o the glen, he touched a rock an this was his brother. So they shook hands an cuddled one anither an they come back through the wud, past the auld woman's house an thanked her very much, an got back tae their ain hoose in the wud.

They hing up the bird in the cage in their wee kitchen an they're always givin it feed an it's chirpin an it's there for a month an the two brothers say, 'It's a bonnie bird, but it's no even talkin, it's no daein anything.'

But one mornin as they're sittin doon tae their breakfast, the bird says, 'Your father's comin here the day. He's out on a boar hunt wi his gamekeeper an hunters. He'll pass here on horseback an there'll be a freak thunderstorm an rain an he'll come tae your door an ask if he can have a hot drink an something tae eat. Now Madeline,' the bird says tae the lassie, 'take them in an put the chairs roon the table, an your father at the top o the table. Give them a plate each an on it put nothin but chuckie stones an water from the river at the back there.'

'Oh we couldnae dae that!' says the lassie. 'Gie a king chuckie stanes an water?'

'You do what I'm tellin ye,' says the bird, 'an when he looks at ye in a rage do you know what tae say tae him?'

'No, bird. What will we say?'

'Just tell him it's as well for him to eat chuckie stanes an water as for his wife tae have cats, dogs and blocks.'

Now they couldn't wait for the next day tae come. About eleven o'clock in the mornin, they hear the crashin o horses comin through the wud. The lassie went to the door. An there was a terrible storm.

'Oh hullo my girl,' says the king. Have you anything hot in the pot today? We're caught in this storm an we're very cold.'

'If you come in, your majesty,' she says, 'I'll see what I can do.' The king and his two main men came in an sat at the table. The two boys were sittin by the fire. The bird was watchin. She put a plate doon in front o each o them. Then she put on each plate four or five white chuckie stones and a drop o water, like juice on a tattie.

'Here, ma girl,' he says, 'I canny eat chuckie stanes and water.'

Then it wasnae the girl who answered, it was the bird. 'It's as well for you tae eat chuckie stanes an water, as for your wife tae have cats, dogs and blocks.'

'What?' says the king. 'Say that again bird!'

So the bird says it again an tells him everything. 'That's your bairns there, your two laddies an your lassie. Go back and take your wife from the dungeons an get rid o her sister, the wicked housekeeper.'

The king's greetin an cryin an couldnae dae enough for his weans an puts them on horseback an makes his men guard them. An he gets them back tae the palace an the first race he made is doon tae the dungeons an the queen's lyin like a skeleton wi her hair away doon an he couldnae dae enough for her an nurses her back tae health. But she was never the same again. The man was past hissel wi vexation an the housekeeper had her heid cut off. The king and queen an family lived happily ever after. An the last time I was there, I got my tea off a wee tin table. The table bended and ma story's ended.

Told by John Stewart

The Devil's Money

There was once an auld woman an she lived wi her son an och! she was a frail auld body. Now and then she used tae send her son tae the shop, an he was a drunken sot. Every time he went tae the shop he had tae get maybe five or six shillings tae get himsel a drink afore he would come back. He had aboot five mile tae walk doon the road, but if he crossed by this near-cut, he'd only aboot two miles.

This day, onywey, it comes his turn tae go tae the shop. 'Well,' says his mither, 'laddie, I'm tellin ye, don't come back that near-cut. Come right roon the road and never come through a near-cut in the dark.'

'Ach,' he says, 'it's aa richt, mither. Nothin'll touch me.'

'Well,' she says, 'please yersel.'

Away he went tae the shop an when he had got his shoppin, he went intae the pub wi the rest o his money an got drunk. He's comin back and 'Ach,' he says, 'I'm no traivellin roon that road. I'll be hame in half the time if I cross this near-cut.'

So he's comin across by this near-cut and the mune's shinin clear an he luckit an saw this thing shinin on the ground. 'I wonder what that is?' he says. He bent doon an liftit it an it was a sovereign! 'Where did that come fae?' he says. 'I wish I had come this road in the daylicht. I wad hae found this sovereign an I wad be a lot drunker gaun hame!'

He come alang another wee bit an he saw anither yin shinin an he pickit it up tae. He went alang yairds an yairds an he's funnin these sovereigns as he gaed alang till he had aboot a dizzen o these sovereigns. Aa o a sudden these sovereigns took a bend aff the path away up this wood an he's pickin an odd yin here an an odd yin there an he comes tae this cave. He stoppit at the door o this cave an he luckit in an he saw a light away inside like the light o a fire. 'Oh this must be some auld tramp that's in here,' he says. 'He must hae robbit some place an that was money that fell oot o his bag. I'll go in here an see him.'

So he comes away intae the end o this cave an this was the Devil sittin wi a fire. 'Aha,' he says. 'You're here, John.'

'Aye, I'm here,' he says.

The Devil says, 'How did ye get up here?'

'I followed a trail o money,' he says.

'Oh ye did?' he says. 'You're a bad lad, ye know. Every shillin your mother had, ye've drinkit, spendin it an wastin it. That was you last night again, doin the same thing.'

'Ach well,' he says, 'it's nae business o yours whit I dae.'

'Oh,' he says, 'it's my business, aa right. It's up tae me aa right, for I'm gaun tae get ye in the lang run.'

'I don't think so,' says Jeck. 'I don't think so.'

As he sat crackin wi the Devil, he says, 'How much money did ye get Jeck?'

'Oh I got a lot o money.'

'Let's see't.'

Jeck put his hand in his pocket an when he pulled it oot, it was a handfu o earth he had! The Devil says, 'Ye've nae money, noo. That's for bein bad. But I'll tell ye what. There's a box o gold sovereigns lyin there. I'll gie ye as mony sovereigns as ye can cairry, if ye can bate me.'

'Bate you?' he says. 'Maybe I could bate you, an maybe I couldnae.'

'Well,' says the Devil, 'it's genuine money. If you can bate me takin it oot, ye can have it.'

Jeck saw the cloven hoof on the Devil. Noo he was that lazy when he was in his mither's hoose, if his mither telt him tae put a bit stick or a bit peat on the fire, instead o usin his hands, he wad lift the stick or the peat wi his fit an pit it on the fire.

'Well, Jeck,' says the Devil, 'whit are ye gonnae dae? It's up tae you!'

'If I can tak the money oot,' says Jeck, 'some way that you canny tak it oot, will ye gie me't?'

'The Devil's in command,' he says. 'On ye go!'

So he took aff his shoe, pit his fit intae the box an liftit a guid puckle siller. 'Now,' Jeck says, 'can you dae that?'

'Aye,' says the Devil, 'I can dae that.' But o coorse, the Devil could lift naethin wi his cloven fit an he went away in a flash o fire.

When Jeck came to, he wis lyin ootside the cave an he still had this heap o money lyin aside him. 'Well,' he says, 'that was funny! I've never seen the Devil afore.' He liftit the money an pit it in his pocket an came batterin hame tae his mither.

'Well,' she says. 'You're back.'

'Aye,' he says, 'I'm back.'

'Did ye come the near-cut?'

'Aye,' he says.

'It's a wonder ye didnae see the Devil on that road,' she says.

'Ah but I did see him. I saw the Devil on that near-cut.'

'Well,' she says, 'it's a wonder ye're here!'

'I saw the Devil, an I bate the Devil,' Jeck says.

'How did ye bate him?'

'I made him lift money oot o a box wi his fit an he couldnae wi his cloven fit,' he says.

'Ah, ye're mad!' she says.

'There's the gold,' he says. 'The Devil's money.'

An it kept them goin for a lang, lang time!

Told by Willie MacPhee who learned it from Duncan Williamson

The Humph at the Heid o the Glen an the Humph at the Fit o the Glen

Years ago in Scotland there was a glen wi a wee hoose at the fit o it. In it lived an auld wumman who workit at the big hoose, she wis the henwife. An she had a son who was a nice-lookin boy but he had a big humph on his back. He wad dae onythin for his mither, this boy, a very nice laddie, about seventeen or eighteen. Noo, at the top o the glen aboot seven or eight miles away, there was another old wumman an *she* had a son wi a humph on his back. But he was a rougher type o fellow. He wadnae dae a thing for his mither hardly. Noo, these twa didnae ken ane anither, for at that time seven or eight miles was a long way an they never got oot o their ain wee place.

So late this midsummer nicht, it was humid an light so ye could see a bit, this laddie's away up fae the bottom o the glen for a walk. He walked an walked then leans up agin an auld mossy dyke for a rest an he hears nice music comin over fae a green bit amang the bindweed. There was a rowan tree an a rock or two. He listens an hears music an he hears voices singin.

Saturday, Sunday Monday   Saturday, Sunday Monday

An they're dancin roon aboot an he listened an he looked an he got captivated wi the fairies an elves, an when they sang

Saturday, Sunday Monday   Saturday, Sunday Monday

he couldnae help himsel an he sang

Tues   day

Immediately the voices stopped an one o them came across tae him. 'Who are you?'

An he says, 'Oh I'm the henwife's son fae the bottom o the glen.'

'Well,' he says, 'ye've a nice voice and you improved on our song. Thank you very much.' An he called on the others an two or three more come across. 'What shall we give him for improving wir tune? What would ye like?' the fairy asks.

'Well, there's one thing I would like,' he says. 'I was born this way wi a humph on my back. I'd like the humph away, but I'd never get that I don't suppose.'

'You go home,' he says, 'an you'll see in the mornin.' So the chap went away an as he was goin doon the road he could hear them goin on,

Saturday Sunday Monday   Saturday Sunday Monday   Tues   day!

He goes hame tae bed an when he gets up in the mornin, there was no humph! He was a lovely lookin chap as straight as can be! His mither's fair delightit an she asks him whit happened and eventually he told her.

'Well,' she says, 'that's very, very good. That must have been the real fairies ye met, richt enough, son. But I wouldnae go aboot speakin aboot it.'

But word gets oot an the auld wumman at the heid o the glen hears aboot it. An she says tae her son, 'Get up an go out an feed the donkey or tether the goat. Ye're lying amang the ashes an ye'll not do a thing.'

'Och, away ye go,' he says. 'I canny be bothered. I'm too tired.'

She gets a stick an gies him a wallop wi't an he gets up an goes ootside an gies himsel a shake an there was that much dust an ashes come off him, he blindit the place for aboot twenty-four hours! 'Away ye go,' she says, 'Look at that ither laddie at the fit o the glen. He got rid o his humph, whatever he did. He met the fairies doon there an if you go doon you'll meet them, an you'll get rid o your humph tae.'

So he went doon the glen an he's listenin an listenin till he comes tae the bit where this ither boy had stood. An he hears it.

Saturday Sunday Monday   Saturday Sunday Monday   Tues   day!

An he stood there listenin for a while, a big dour-lookin boy, wi a voice like ma own, for shoutin coal! Then he shouts,

Wednesday!

The music stoppit at yince an they come rinnin over. 'Who's that spoilin oor sang? It doesnae harmonise at aa! It's all oot o tune!'

'What shall we dae wi him?' says the fairy.

They says, 'Gie him the humph we took aff the ither wan an pit it on tap o the one he has.'

So he went hame an waukent up in the mornin wi two humphs. He couldnae walk, he couldnae move an his mither had tae feed him milk wi a straw an he lay there for six months till he passed away an it took two coffins tae bury him. An that's what he got for spoilin the fairies' sang.

Told by John Stewart

Jack and the Seven Enchanted Islands

Where this story happened I couldnae tell, but in this country there was a queen who was very good to her subjects and among her people were a man and a woman who used to do work about the palace and one day invading pirates came an killed a lot o the queen's people includin this man. Not long after the invasion the woman gave birth tae a son and the queen said, 'Go an tell her tae send the boy up tae the castle an I'll rear him along wi my two sons.' So the woman was glad o the chance tae let her son go up to the castle, which wasnae far away.

So he went up there an he lived in the castle wi the princes an when he come tae aboot eighteen, he could dae onythin better than ony man in the castle an the people aa aroon was admirin him for the size he was an the things he could do. When he was aboot twenty he asked one o the auld men aboot the castle who his father was, for he had never been told aboot his father bein killed. 'Oh you'd better ask your mother,' says the auld man. 'She lives no far away.'

Now, when the queen heard o this , she didnae want him to go at all and ask this question. But he says, 'I will go. Nothing'll keep me back.'

So he jumps on his horse an gallops doon to the hoose where his mither was an asks aboot his father. 'Well,' she says, 'he was killed, but no here. It was further north where these invaders landed.'

'Well,' he says, 'I'll get them, should I follow them tae the ends o the earth.'

So he went away on horse back to where the invaders landed, a scattered village o wee hovels thatched wi grass an rushes. An there was an old church, half in ruins, where an ugly old man' wi a humph on his back, like Quasimodo, says tae him, 'Ye canny come in here. This is sacred ground. Your father was killed here, where you're standin. They took their swords oot an they hackit him tae pieces.'

'Could you tell me,' says the boy, who was called Jack, 'where these invaders came from?'

'I couldn't tell ye that,' he says. 'But if ye go down the coast to the last wee hoose, ye'll find an old druid, a far seer, like a fortune teller, who'll tell ye anythin ye want tae know.'

So Jack makes his way along the coast till he comes past this wee tumble-doon hoose an when he went roon the end o the rocks, here was a great big cave wi a fire kennled an an auld man stannin wi a great long beard.

'Good evenin,' says the auld man. 'Ye must be lookin for me, or ye wouldnae be doon here.'

'Yes,' he says, 'I'm lookin for you. I want to know aboot the pirates that landed here over eighteen years ago and killed a lot o people. My father was killed then.'

'I know your father was killed,' says the old man, 'but I wouldnae advise ye tae go lookin for them because ye'll only get yoursel intae trouble.'

'I *must* go,' he says, 'an look for who killed my father.'

'Well,' says the auld druid, 'if you're that desperate tae go, ye'll have tae take six men wi ye. Ye'll have tae build a boat o bull-hide.' In those days nearly aa the boats were hide boats, light-framed boats, pulled wi oars. 'When ye leave, keep goin intae the settin sun.'

'That's all right,' says Jack, 'I'll do that.'

'That's aa I can tell ye,' says the auld man.

'Thanks very much,' says Jack.

He went back to the place where he was reared an he got six strappin lads an they went doon tae the tannery an got skins an they got wood an carted it aa away to where the auld hermit was an they starts buildin this boat. It took them nearly two months and they're just gettin in tae oar away, when the old man comes oot.

'Have ye got the right number of men?' he says.

'Yes,' he says, 'I've got six.' So they're away oot on the water, an rowin past the place where the castle was, an they hears this shoutin an roarin. It was the two princes fae the castle an they're wantin tae come too.

Jack says, 'I can't take ye. The old druid told me it was unlucky tae take more than seven.'

'If you don't come in for us,' the princes says, 'we're goin tae swim oot.'

Noo they jumps intae the sea an Jack has tae stop an pull them intae the boat.

'Well,' he says, 'maybe the old druid'll not know that we've got more than the number we were told tae take.'

They row for aboot a week, always goin by the settin sun an one stormy night they were keepin close tae an island for shelter and at the break o daylicht, they stoppit for a rest and they were just aboot a hundred yards off the beach. Jack says, 'There's a great big castle up there. We could dae wi some more victuals an water. Come on, we'll go in an see if we can get something.'

So the nine o them got off an went up tae the castle an there they saw a lot o people outside the big gates an Jack says, 'We'll sit here till we weigh them up. Ye never know what they might do.' So they sit there for aboot ten minutes, then they saw a horse comin and a lady on it an she must hae been a queen, for she had a crown on her head, lovely green satin clothes an red satin boots. An the horse had bells and rings on its reins. She came up past them an never paid attention or spoke to them an went away up intae the castle. Then a woman came out an down to them an she says, 'The queen wants to see you.' So Jack an his men were ushered intae this great big hall, an there were seven cups aa sittin down this long table an decanters o wine, an bread and fruit, and a long sofa. So Jack counts the seats an says, 'Seven seats. She must hae known we were comin! But she doesnae know there's two extra. But we'll try an roll them in an they'll maybe no notice.'

They ate an drank as much as they wanted an the queen's talkin away to them, she's very nice tae them. 'Just stay here,' she says, 'you're doin no harm.'

So they stayed an they wandered about the island, huntin an havin fun wi the girls till they'd been there a month. The queen says, 'I'm goin away for a wee while to the plains to see some o my people, but ye'll be aa right here. Don't leave the island. Everything's here that ye want, an I won't be long away.'

So the queen goes away an her two daughters are entertaining these men an they have everything they want at their hand in this castle. But the weeks roll by until two months pass an the men are gettin fed up an they're startin tae argue wi one anither.

'Maybe Jack's in love wi this queen,' says one. 'Maybe that's why he doesnae want tae go.'

One o them went tae Jack an says, 'What aboot goin? We had ither things to do an we dinny want tae stay here ony mair.'

'Well,' says Jack, 'she's a long time comin back. It's near three months since she left. Let's go then.'

So they got the stuff an packed it up an away doon tae their boat an they're just twenty or thirty yards from the beach when the queen comes home an she's down at the waterside wi her daughters an they're tearin their hair an shoutin on them tae come back. But Jack says, 'Keep rowin!'

She pits her hand intae her pocket an she takes oot a ball o golden thread, an she catches wan end o it an throws it across at the boat an it flew over tae Jack an he caught it wi his hand and when he went to lay it down, it stuck like glue. The queen pulled on the thread and just took the boat straight back in again. She says, 'Why were you leavin?'

'We just got fed up,' says Jack.

'Look,' she says, 'ye'll never get another place like this. Ye've all ye want here. Come on home, you an your men.'

So away back they goes to the castle, but they soon wearied o bein aa in one place. One o them says, 'Are ye goin, Jack? If ye dinny come, we'll go ourselves. Are you in love wi that queen?'

'No,' says Jack, 'I'm no in love wi the queen.'

Another says, 'I think you were foolin us, yon time, aboot the golden ball.'

'Well, *you* catch it this time,' says Jack. It was his brither, one o the princes he was reared wi. 'Aa right,' says his brother.

So away they went doon tae the boat, pushes it oot fae the shore an they starts pullin on the oars. Aha! she's down at the waterside wi her two daughters, greetin an tearin their hair an shoutin tae them tae come back. She's out wi the golden ball an the lad catches it wi his hand an it stuck tae't an the queen's pullin it back, but Jack draws his sword an slashes the thread. It was a strong thread an he nearly fell overboard intae the water, but the queen's left wi the thread in her hand an she an the princesses are screamin an dancin wi rage.

Jack says, 'Keep goin now! Keep goin now!' They row an row an row far intae the settin sun and next day they take a rest, float about, takin a drink o water an a bite o meat, then away again.

Through the night they're rowin away just at their ease, lettin the boat swing along an they saw a glow. They row up to it an this is anither island surrounded by flames of fire. An folks are sittin at tables an enjoyin theirsels, laughin an drinkin an dancin. Jack says, 'None o you go in there tae that island, because I don't like it at all. Keep goin men! Keep goin!'

So they row away and on an on they went wi this boat for another two days, an they spy another island an come in close to it. When they aa stood up tae look at this island, it was the loveliest island you could see. There was a lovely green valley an a brae wi grass on it, an auld church an a wood o silver birch trees an sheep grazin on the wee slopes, near a wee lake in the shape o a harp.

Jack says, 'That's a lovely, quiet place. Let's pull in tae get some fresh water.'

They pull in an walk across the lovely green grass tae the bank down tae this lake an they sit doon. They look toward this auld church an there's an auld man wi a lang beard wanderin doon tae them an he asks if they were there just for a short stay.

'Ye can stay here, you know,' he says. 'It's a lovely island. Ye'll hardly ever get old here. Ye can live off the sheep an there's plenty o fruit an water. Ye'll be quite welcome here.'

The weather was that good they lay out all night an they had roast mutton every day, fruit an fresh water. One day when they were sittin, Jack sees this thing comin in the sky. 'What's that comin?' asks one o the men.

'I don't know' says Jack. 'It's an awfy size.' An when they did see it comin right tae them, it was a bird! It had a wing span o aboot fifty or sixty yards. An something told Jack this was the old man in the church, but he didnae say tae the men. The big bird landed just up above the lake an it had in its claws a branch aboot the size o a young tree, full o rid fruit, between a plum an a grape. It sat there pickin away at the fruit, an it never looked at them. Then there's another two comin, no as big as the first wan, an they werenae carryin any branch, the two younger birds. They sat beside the big one an started pickin the feathers from it an they picked every feather oot o this giant bird, till it looked like a huge bare turkey, ready for the oven. 'That's the funniest thing I ever saw in my life,' says Jack. When the last feather was pickit oot, it got up an gied itsel a shake an strode away doon tae the lake an splashed aboot in the lake for aboot an hour. It comes back up again an started eatin the berries off the big branch. Next mornin it had a new coat o feathers an the ither two birds placed aa the feathers an made it bonnie. It sat there till the afternoon, then picks up the branch an rose up in the air wi the two young ones an flew away. But Jack knew within his own self, that it was the old man from the church that was the bird. Jack walks doon tae the lake an the water was a pink colour after the bird washin itsel. So he took his claes off an jumps in an swims aroon. When he came out he was a new man.

'I think tomorrow,' he says, 'we'll go on again. We canny sit on this island aa the time, although it's a lovely island. I'll need tae go an see if I can catch up wi the men that killed my father.'

So they put food in the boat an get in an away they go again, rowin an rowin an rowin, till they come tae anither island. 'Pull in here,' Jack says, 'an we'll get some fresh water.' But as they were aboot tae jump in the water tae go ashore, they saw this giant o a thing, wi an elephant's trunk and feet like a horse an the wings o a bird. An it's prancin in front o them, lyin on its side an waggin its tail an playin itsel, this mountain o a thing, an the men says, 'Oh it wants us to make fun wi it.' Two or three o them were goin tae wade ashore but Jack says, 'Don't do that. Come on, we'll get away. I don't like it at all!' They jumped in the boat and rowed away quick, an here it got up an was in a fury an was goin tae plunge intae the water efter them. Then it started flingin stanes efter them, in a terrible rage, but luckily none o them hit the boat.

They kept rowin an rowin away till they ran out of water an out o food. Jack says, 'If we dinny get food or water shortly, we're goin tae die.'

At the break o daylight they came tae this ither island and there was a lovely little river gaun up wi silver fish, salmon, in dozens. Jack says, 'We'll get plenty o fish here. Come on.' So they pull the boat in and they're catchin fish an cookin them over a fire. Then they come up an look an here's the loveliest castle ye ever saw in your life, at the far side of this wee river, an there's a crystal bridge gaun across, wi crystal bows an silver bells hung on the crystal ropes o the bridge. Whenever ye went near it these bells rattled. Eventually at the far side of the bridge the door opens and out comes this lassie, a princess. She had a beaten gold band on her hair an lovely jewellery on her neck an she's just a real beauty, wi long blonde hair down her back.

Jack says, 'Did ye ever see a bonnier lassie than that in your life?'
She comes to the bridge an one o the boards lifts up an she dips her bucket in an lifts water oot and goes back intae the castle. But when they wad go tae dae that, aa the bells wad ring an the board widna rise. So when she comes out again Jack roars tae her an she looks up an Jack says, 'Wad there be any chance o you havin somethin we could cairry water in for our ship?'

She gave them a big earthenware jug an says, 'Stay here for two or three days. There's plenty o fish here. I'll bring you some fruit too.'

An she fetched apples to them an they were there for a fortnight having a good rest. One of his brothers says tae Jack, 'Why dae ye no marry her, Jack? You would make a lovely pair.'

'All right,' says Jack. 'Next time she comes out, I'll ask her.'

So next day Jack followed her by herself an says, 'Listen to me. What about marrying me an we could rule this place together?'

She looked at him an started laughin an says, 'I can't marry you.'

'Why not?' he says.

'Oh,' she says, 'You'll know tomorrow morning.'

An she bid him goodnight and went away across the bridge intae the castle. Now, when the morning comes, they get up an gie theirsels a stretch an look up an there was no castle, no bridge, nothing!

Jack says, 'That's why she wadnae marry me. She must hae been an invisible being fae some other place.'

So they fill their cask o water an got intae their boat an they're away again. They rows an they rows an they rows an in the middle o the night the boat just seemed tae stand still. It wouldnae move. Ye would actually think it was up against something. When daylight came, they were right up against a rock, a flat-topped rock that rose up oot o the water and on it was stannin wi a long gown on him an a beard, an auld, auld man.

'Oh,' he says, 'ye've eventually arrived?'

'Yes,' says Jack, 'what are you doing here?'

'I've been here for years an years an years,' he says. 'It's my own fault that I'm here.'

'How's that?' says Jack, as they sat in the boat listening to him.

'I was on that island back there. I used to be the grave-digger in the village, but I couldnae get enough money so I started thievin. I would go intae big houses an take away their gold an their antiques an I even had tunnels made fae my own house up under their houses tae get in. I was the richest man on the island in the end, but I was still the grave-digger. One day there was a man buried, a real bad man. They told me to down an open a grave to get this man buried. I gets ma pick an ma shovel and went away doon tae the graveyard an picks a spot an starts diggin an diggin, till I must hae been on top o another grave. A voice came oot o the earth sayin, "Don't bury that man on top o me, because I am a good spirit an I'm light. Don't put him in here." I didnae know where the voice was comin from an I told him I didnae believe him. "Oh," he says, "I know you don't believe me. But I know who you are an if you don't change your ways, you're headin the wrong way. I asked ye not to bury that man on top o me. If you don't believe me, look down." I looked down an where I was diggin there was pure white sand an the dry sand was movin! When I saw that I stopped diggin. I jumpit out o the grave an I filled it in an I took the other man's body further down the graveyard and buried him somewhere else altogether. I took fright an stopped thievin tae recompense whatever kin o thing had frightened me. But wi drinkin an one thing an another, och! I started to forget about it an I went back tae my auld ways again, robbin this body an that body an the next body. So this voice came again, "You wouldnae take a chance when ye were gettin it, but I'm puttin ye tae a place where you won't do any harm.' An he puts me out here, wi seven oatcakes wi me for food an a cog o water. The first seven years I was here, two seals brought me salmon an now I'm livin on a brown loaf every week an a wee bowl o ale. The shouts an roars ye can hear up in the sky are from evil demons. I'll advise ye tae go away from here as fast as ye can, because I'll be here forever.'

So he gave them a brown loaf tae help them on their way. They oared away for about a week an they were in starvation nearly, haggard an tired wi beards down to their chests. They were passing another island when they saw this big square old house.

Jack says, 'There's a house up there. If we could manage up there wi the last o our strength, we'll maybe get as much meat an water as'll take us on our journey.'

They all went ashore an up tae this castle an heard a noise comin oot o it o men arguin. They looked in an they were aa drinkin, and as Jack an the rest stood at the door, this great big man wi a black beard was tellin the rest o the men aboot killin Jack's father. Now when Jack heard this he drew his sword an rushed in among them strikin at this man. But there were too many o them for Jack an his friens. Jack was knocked to the ground wi a hundred cuts on him, bleedin like a sheep, an the rest of the men were aa dead. He was the only one wi a spark o life in him. The pirates threw them onto the grass at the side o the brae an buckled up an off they went.

Then oot o the sky came the great big bird, carryin this young tree wi fruit on it an it landit beside Jack an squeezed the juice o the berries intae Jack's mooth an after a couple o hours Jack was as good as ever he was. The bird told Jack tae sit among the branches o this fruit tree an it caught the tree in its two feet an went up in the air. It flew an flew till it came to the island where it had washed itsel in the pool in the shape o a harp. It left Jack there an says, 'Wait here now, I'll be back in a wee while.' So away it went and Jack waited for about an hour an then he saw it comin still with this big branch in its talons. It landit doon an who was sittin on the branch but the princess he asked tae marry from the palace wi the crystal bridge. Jack built hissel a nice wudden house there an the two married an lived happily ever after on that island.

Told by John Stewart

The Three Feathers

Once upon a time there was a king who lived in a castle away in the far parts of the country. He had three sons and one day he came out and called his three sons to a turret high up on the castle and he says, 'Sons, I'm gettin very old. I'll not last long and I must give you each a task to do so's I'll know who to leave the castle to.'

'Whatna task is that?' says the auldest one.

'The one that brings me back the best tablecover will get the castle.'

'That'll no be hard to do. What way will we go?

'Well,' says the king, 'I'll give you three feathers an ye'll throw them up an whichever way the feathers fly, that's the way ye'll go tae look for your cover.'

So next mornin they got up, went tae the top o the turret again and the king handed them a feather each. 'Now,' he says, 'Throw your feathers up tae see which way ye're goin tae go.'

So the eldest boy threw his feather up an it went south, the second went east and the third went richt doon the back o the castle. The father laughs. 'Ye'll no get much o a cover doon there, Jack,' he says.

'Aw,' Jack says, 'I canny help it.'

He waited and waited till his father says, 'Ye've only three days left tae go an look for that cover.' Even then, Jack sat at the fire for two days, then he says, 'Och, I'll go roon an see whaur ma feather landed.'

He went roon the back o the castle an the feather was sittin on top o a great big stone wi a ring on it. So he liftit the feather an put it in his pocket, then lifted the big stone and there were steps goin down intae the ground. He went doon the steps and who was standin at the bottom at a door but a great big frog.

'My God, Jack,' says the frog, 'Ye havenae gien us much time tae get ye the cover!'

'Oh,' says Jack, 'can ye speak?'

'Oh aye,' he says, 'I can speak.'

'No, I havenae gien ye much time,' says Jack, 'but whaur wad you hae a cover?'

'Never you mind, Jack,' says the frog, 'you come in an get something tae eat an drink and I'll gie ye something when ye're gaun away.'

So he went in an got his tea an it was aa wee frogs that were servin him. When he was gaun oot the frog says, 'Here ye are, Jack, an don't open it till ye get up tae the tap o the turret in the mornin tae show your father.'

Jack says tae hissel, looking at the wee parcel, 'It canny be much o a cover, that. I think it'll be about the size o a handkerchief.'

So he went hame and next mornin the auldest brother cam hame an

62

showed his cover an it was a lovely silk cover wi an awfy lot o nice pattern on it.

'That's a lovely cover,' says the king.

The other brother came back and he had a cover the very same but a different colour. So Jack came wanderin up. 'Are these the two covers you got?' he says.

'Yes, that's the two covers,' says his brothers. 'You wouldnae hae much o a cover compared wi that.'

He put his hand in his pocket an pulled his wee parcel oot. 'Open that,' he says, 'an see what like it is.'

The father started tae laugh. 'It'll be a handkerchief, by the size o't.'

'Doesnae matter. You open it.'

So he opened the wee parcel an it was a pure silk tablecover, fringed wi gold right roon. 'Oh,' says the king, 'I've never seen a tablecover like that before in my life. It's all fringed wi gold. You've won, Jack.'

Jack was surprised hissel an the two brothers says, 'Aw, that's no fair! We'll have tae get anither chance.'

The king looked at them. 'Well,' he says, 'I tell ye what tae dae. I'll gie ye three tasks aa thegither. Noo, the second one is tae see wha can bring me back the best ring, the bonniest an the dearest ring.'

Next mornin they're up again on the turret an they threw the feathers up and one went north and the ither went west an Jack's went doon the back o the castle again. 'Well,' says Jack, 'I ken whaur I got the table cover, but gettin a gold ring—I dinna ken if I can get it at the frog's or no.'

He went roon the back o the castle an he saw the feather lyin on top o the big stone an he liftit it an he's doon the steps again. 'Aw,' says the frog, 'ye're earlier this time, Jack.'

'Aye,' he says. 'Ye ken whit I'm efter?'

'Aye,' the frog says, 'I ken. Ye're efter a ring. But never you mind. Come in an get somethin tae eat an I'll see what I can dae.'

So Jack goes in an the frogs were aa dancin an there was a band too, frogs playin fiddles an melodeons an cornets an Jack had a good time there. He stayed aa night an next mornin the frog says, 'There's a wee box. Just open it when ye get tae your father an he'll see the ring.'

'Aye, this is the day tae show the rings,' says Jack. He pit it in his pocket an he's awa up the stair an up tae the castle turret. The two brothers were there, wi gold an diamond rings. 'Well,' says the king, 'What did you get Jack? Ye wouldnae get much o a ring at the back o the castle.'

'Oh ye never know,' he says. He handed his father the box and oh! it just took the flash o his eyes away, the prettiness o this ring wi diamonds an studs o gold!

'Oh,' says the king, 'that's the best ring o the lot. I've never seen a ring like that before.'

The two brothers were angry an they says, 'We'll try an beat him next time.'

So next mornin they're up on the turret an threw their feathers up again an one.went one way an one went the other and Jack's went doon the back o the castle again. 'Now,' says the king, 'this time ye're tae look for a bride.'

Jack says, 'I'll go doon the nicht an see what the frog has for me. But I dinny ken whether frogs can get me a bride. I canny go up tae ma father wi a wee frog for a bride!'

So he went roon the castle, lifted the stane and went doon the steps an met the auld frog at the door again. 'Come in an get somethin tae eat an I'll see what I can dae for ye. Ye puzzlet me this time, wi your bride. How did ye get on wi the ithers?'

'Oh, says Jack, 'I won the two o them aathegither.'

So he went in an they were aa dancin again wi the fiddles an melodeons an Jack fair enjoyed hissel. Next mornin the frog says, 'Here ye are now an he put a wee yellow frog intae Jack's hand. You carry that up the stair till ye come tae the fresh air an ye'll see whether ye hae a bride or not.'

'Oh,' says Jack, 'what am I gaun tae dae wi a frog?'

'Never you mind, Jack,' says the frog. 'You do what I tell ye.'

When Jack went up the stair there was a carriage an pair sittin in the driveway, an a footman, an when he puts the wee frog doon on the ground it jumped up intae the nicest princess ye ever saw in your life, a real beauty. An when Jack looked at hissel, the auld claes had left him an he had braw robes an a croon on his head. He took the princess by the hand and put her in the carriage an the fitmen an the driver jumpit on an they're away richt roon tae the front o the castle. The king lookit oot an he says, 'Oh there's some great nobleman comin. I'll have to go down an receive him.'

When he got down he saw Jack steppin oot the carriage. 'My God,' he says, 'it's no a nobleman at aa, it's Jack!'

So Jack went up the stair wi his bride an his brothers were there wi two common lassies. When they saw Jack's princess, they tried tae hide them!

'Oh, Jack has the castle, Jack has the castle,' says the king.

So Jack an his bride lived happy ever after.

Told by Alec Stewart

The Lord's Prayer

There was a tramp man away up in the north o Scotland and he's trampin up by Inverness and Sutherlandshire and he could get no houses on the road an he's stervin o hunger. Then he came into the outskirts o a village an his feet were aa skinned because his boots were sae bad. 'Och,' he says, 'here's the minister's hoose beside the church. I'm gaun up tae see if I can get a pair o boots off him.'

As he went up he met anither auld tramp man comin doon. 'Oh me,' says this ither tramp man, 'he's a greedy man, that. He put the dogs on me.'

'Well,' says the first tramp man, 'I canny help it. I'll just have tae face the dogs, for I'm stervin.'

He walks up tae the big front door an rings the bell. He waits two or three minutes then out comes the minister, a very stern looking man. 'What do *you* want?' he says.

'Excuse me your reverence,' he says, 'but I've come tae see ye tae ask if ye could teach me the Lord's Prayer.'

The minister looks at him in surprise. 'The Lord's Prayer?' he says. 'Do you not know it at all? Were you never at school?'

'No,' he says, 'I was not. An it's sae lang since I was at church, I've forgotten aa ma Biblical learnin.'

'Well,' says the minister, 'come away in.'

So he took him in and says, 'Say after me, "Our Father, which art in heaven".'

'Excuse me your reverence,' says the tramp man, 'was he *your* father?'

'Oh yes,' says the minister, 'he was *my* father.'

'And was he *my* father?'

'Oh yes,' says the minister, 'he was your father too.'

'Well,' says the tramp, 'that makes us two brothers.'

'Well,' says the minister, 'puttin it like that, we would be.'

The tramp stuck up his foot wi the sole comin off his boot, an says, 'Ye wouldnae see your brither goin wi a pair o boots like that, would ye?'

The minister looked taken aback then he says, 'No, I would not,' An he takes a pen oot an he writes a line for him. 'Take this down to the shoemaker in the village an he'll give ye a pair o boots.'

'Thanks very much, your reverence,' says the tramp, 'Noo what aboot something tae eat, brother?'

'Just go roon tae the kitchen,' says the minister, 'an my hoosekeeper'll gie ye something.'

After he had had plenty tae eat an drink, he went doon tae the cobbler's wi the line the minister had gien him.

'What kin o boots wad ye like?' asks the cobbler.

'Oh the best in the shop,' says the tramp man. He got a pair that cost aboot five pounds, fur-lined and hand-sewn, the best o boots, an he's away.

The following week the shoemaker's totting up his takings an he comes across the line. 'I'll need tae go oot tae the minister and get it paid,' he says. So he's away tae the minister's hoose an he rings the bell an oot comes the minister.

'Well, shoemaker, how are ye, the day?'

'Oh I'm fine,' says the shoemaker. 'I've just come out, your reverence, to collect the five pound that ye gave tae the beggarman for his boots.'

'Oh yes,' says the minister, 'that's quite correct. But there's something I want to say tae you. I never saw ye at the church for weeks an weeks an weeks.'

'Well, my wife wasnae too well,' says the shoemaker.

'Don't put the blame on your wife,' says the minister.

'Well, I was that busy mendin boots, I couldn't get tae the church.'

'Ye havenae been for weeks,' says the minister. 'Ye'll be gettin very rusty. I'll bet ye ye've even forgotten how tae say the Lord's Prayer.'

'Oh no,' says the shoemaker. 'I havenae forgotten. It's "Our Father which art in heaven"!'

'Now,' says the minister, 'was he *your* father?'

'Oh yes,' says the shoemaker, 'he was *my* father?'

'An was he *my* father?'

'Oh yes, your reverence,' says the shoemaker, 'he was *your* father.'

'An that man, I sent down for the boots, that tramp man, was he *his* father?

'Oh yes,' says the shoemaker.

'Well,' says the minister, 'that makes us three brothers, does it no?'

'Yes,' says the shoemaker.

'Well,' says the minister. 'I'll pay half of your brother's boots, an you can pay the other!'

Told by Alec Stewart

The Man Who Had No Story to Tell

When I was a young man, I used to go here, there and everywhere doing almost everything and I used to work on a lot o fairms. I happened to land away up in the north o Scotland on this fairm sittin away up on the hillside and I asked the man for a job. 'Well,' he says, 'ye're a big, strong-lookin laddie an I think ye could dae a good day's work, so I'll try ye out.'

'Very good,' I says. 'I'll be willin tae dae the best I can.'

It was the beginning of the year when I come there, and I did a whole summer's work right through tae the hairvest time. I managed tae build stacks an everything like that and we got in wur hairvest. When the hairvest was finished, they held a ceilidh an everyone was tellin stories or singin sangs or playin pipes an fiddles, but I couldnae dae onythin like that. But I sat in the corner enjoyin it aa. After everyone had done something, a song or a story or a tune, the fairmer says tae me, 'Look Willie, dae ye not think it's time ye were daein a wee bit turn?'

'I canny tell stories,' I says, 'an I canny sing sangs. I canny play pipes. I can dae naethin like that. I'm useless.'

'Well, in that case,' he says, 'dae ye mind daein a wee forfeit?'

'Oh no,' I says, 'I dinny mind.'

'Well,' he says, 'ye ken where the old boat is down on the shore?'

'Aye,' I says.

'Ye know the bailer for bailin oot the water oot o the boat?'

'Yes, I know it well.'

'Well, I want that bailer tae use tae measure oot the feed for the cattle, the morn,' says the fairmer. 'Just you go doon there an get it an bring it back up here.'

'Aw,' I says, 'that's an easy forfeit.'

I buttoned up ma jaicket an goes through the door. It was dark, so the fairmer gien me a lantern tae show me the way doon. It would be aboot a hundred yairds fae the fairm where the boat was lyin on the shore. 'Oh there it is,' I says. 'This is dead easy.'

I left the lamp doon an went intae the boat and walkit wi ma big heavy boots tae the end o the boat. I bent doon tae get the bailer an ma feet slippit and I fell on ma heid an I saw stars! When I came to, I gropit aboot an got the bailer and pit ma leg owre the bow o the boat tae get oot on the shore, and I couldnae find the bottom!

'What's happened here?' I says. I got one o the oars and I gropit wi it tae see if I could feel the deepness, but naw! 'I ken what's happened,' I says, 'my weight in the end o the boat has made it slip oot on the water.' I lookit roon but it was quite dark. I couldnae even see ma light and the waves were beginning tae shoot up. 'I'll get the oars oot,' I says, 'an row back tae the shore.'

67

I was a good strong man at the time, so I got the oars and I'm oarin away and oarin away, but nae sign o the beach at aa. I couldnae get intae the shore an the waves were gettin bigger and my arms felt weak, I could hardly pull the oars.

'Goodness that's terrible,' I says, 'I'll need tae tak a smoke o ma pipe.' So I pulled the oars in an put ma hand up tae get ma pipe, and I felt the big lump. 'Hullo,' I says, 'What's wrong here?' I felt the other side. I had two big lumps! 'Wait a minute,' I says, 'there's something cock-eyed here!' Instead o ma big auld jaicket, it was a woman's blouse that was on me. I put my hand up tae scart ma heid, and I felt beautiful long hair, right back like this. On ma legs, instead o troosers, it was a skirt that was on me. An something had gone—it was away! Replaced wi something else!

I sat aa numbed: I didnae ken what tae think. But the waves is gettin worse an when I tried tae row, I couldnae use two oars, I could only use one at a time. I got so exhausted, I fell intae the back o the boat an I lay there sobbin an greetin. I don't know how long I lay there but when I awakened the sun was shinin an the boat was at a standstill. I luckit aroon an it wisnae my shore, it was a different shore entirely. 'What's goin tae happen tae me?' I says. Then the first thing I saw wanderin doon was a young man an he says, 'Hallo, where did *you* come from, my dear?'

'I don't know,' I says, 'I was ship-wrecked I think.' I had tae make up a story.

'Ye better come home wi me an get some dry clothin,' he says.

So I came tae the hoose, a beautiful hoose. 'There's not many women here,' he says. 'There's nae lady o the hoose, jist servants and some ither crofters. I'm the only body that's here. Dry your clothes an I'll see aboot dinner.'

'Fair enough,' I says.

So I got a big towel roon me an I got my clothes dry at the fire. Then he asks again, 'Where do ye come from?'

'I don't know where I come from. I don't know what happened to me.'

'Well,' he says, 'The best thing ye can do is stay here for a while. Somebody of your people'll look for ye. Just stay here.'

So I stayed for a long time and this young man fell in love wi me. It's only natural isn't it? We got married and as time rolled by, what should happen tae a married couple, happened tae us. We had two o a family.

When they were about seven and nine years old, we were oot walkin one day and we wandered doon richt tae the point where I had come in on the boat.

'There's the old boat,' he says, 'that ye came here in, ma darlin.'

'Yes,' I says, 'an it's still hale.'

I had on a lovely white dress for it was midsummer, an the heavens opened an there was a rattle o thunder, a flash o lightnin an the rain began tae come doon.

'Stand under that tree,' he says, 'an I'll go back tae the hoose for your coat.'

I sheltered under the tree, wonderin tae masel if the auld bailer was still in the boat, that bailer that had got me intae sae much trouble. I went down to the boat an lookit in an there it was! I got intae the boat an went tae get the bailer, when ma feet slippit fae me again an I was oot like a light! Dead as a herrin!

When I came tae masel, it was dark wi stars shinin, but I could see nothin. I got the oars oot an I was pullin away an pullin away, first wi one oar, then the other, when my arms began tae feel stronger. Soon I was goin lovely wi the two oars. Then I noticed a funny smell aff masel. Efter wearin new clothes ye notice that. It was a smell o sheep dip! I put ma hands on ma chest an it was as flat as a pancake. I had ma big auld jaicket on, ma troosers an ma big auld coorse, tackety boots.

'Oh,' I says, 'this is terrible. Oh ma man an ma bairns!'

Then I saw a light on the shore an I'm rowin like bleezes back. I reached the shore an there was ma lantern, still burnin! 'That must have been burnin a long time here!' I says. I took it in ma hand an went up the wee pad till I saw the light o the fairm. When I come in, there was the fairm just as I had left it, the samen hoose wi aa the company!

'Well,' says the fairmer, 'ye're back, Willie!'

'Aye,' I says, 'I'm back.'

'Did ye get the bailer?'

'There's your bailer,' I says. 'But you're never goin tae believe what's happened tae me.' An I telt the fairmer the story and he shook his heid. 'That would hae taken ye years tae do that, Willie,' he says.

'Oh aye,' I says, 'it took years. I've a wee boy o nine and anither o seven, an a husband.'

'Well,' says the fairmer, 'Dae ye know how long ye were away? When you went oot it was twenty minutes tae twelve. Look at the clock noo.'

'It's twelve o'clock.'

'Well,' says the fairmer, 'when I asked ye tae tell a story, ye couldnae dae it at aa. Next time ye're asked tae tell a story, you'll have a story tae tell!'

Told by Willie MacPhee

The Shepherd and the Wee Woman

Away up in the north o Scotland there was a shepherd living on a hillside. His son was courting a girl on the next farm an after a few months they were to be married. There was a big crowd coming to the wedding party, shepherds, gamekeepers and foresters, so they were carting in food an drink aa day before the reception. When the marriage took place they had a big celebration wi dancin, pipes an fiddles goin an melodeons playin. When it came to twelve o'clock at night, the son came to his father an says, 'Father, there's no more tae drink. What shall we do?'

So the auld man says, 'It's only aboot three miles tae the inn. Go an tell the man an he'll let ye have a puckle bottles o whisky an beer.'

'Oh,' says the son, 'I'll manage that, aa right. Gie me my cromak an I'll get goin.'

So he got his stick an his plaid an he's down the road. Before he went, his father says tae him, 'If you meet anything on the road, don't touch it and don't say a word to it.'

The young shepherd lauched. 'What am I goin tae see on the road?'

'Oh ye never know,' says his father, 'ye never know.'

Aboot halfway doon the road, he had to go over a wee bridge, over a burn. As he reached the top o the bridge, whistlin tae himsel, he thought he heard something.

''HU HU HU HU HU HU HU! HU HU HU HU HU HU HU!''

He lookit owre the bridge an this was a wee woman, doon by the water's edge. 'What are ye doin there?' he asks.

'I was waitin for you,' she says.

'I cannae stop now,' he says, 'I'll be late.'

On he went to the inn an got what he wanted an was on his way back. When he got to the bridge again, all of a sudden he felt something like a bird flyin past him an took the muffler fae his neck. He lookit owre the bridge an there was the wee woman sittin by the river an washin the muffler an she's goin, ''Hu hu hu hu hu! Hu hu hu hu hu!''

'Och well,' he says, 'If she wants the muffler, she can have it. I'll do what my father says,' and he went home.

So after they were aa drinkin again an dancin, the young shepherd's sittin by the fire an he's gettin drowsier an drowsier, he's fadin an fadin, an the longer he sat, the weaker he was gettin. His father came over an says, 'What's wrang wi you son? Are ye drunk?'

'No me,' he says. 'I don't know what's wrong.'

'Did you meet anything on the road?' says his father.

'There was a wee woman down by the burnside an she took the muffler off me an started tae wash it.'

'Oh my goodness,' says the auld shepherd. 'Time you were down there tae get that muffler back for if she rubs a hole in it, she'll rub a hole in your hairt!'

So the shepherd's away back doon the road till he comes to the bridge and the wee totie woman's still there, washin his muffler an goin, 'Hu hu hu hu hu! Hu hu hu hu hu!'

So he spat on his stick an he gave three wallops at this wee woman, but she jumped aboot seven feet in the air an he couldnae hit her. Every time he made a welt at her, she jumped owre the stick. But he grabbed the muffler fae her an pit it in his pocket an ran hame.

'Well,' his faither says, 'Did ye get your muffler back?'

'Aye,' he says, 'here it is an I gien her a layin on wi ma stick.'

'Laddie,' says his faither, 'ye'll rue that.'

But och! a week passed and the shepherd was sittin in his ain hoose noo, away up the side o the hill, when a rap came tae the door. So the woman went an she lookit oot but she could see nothin. 'There's nobody there,' she says.

They were sittin by the fire when this rap comes tae the door again. This time *he* went an when he opened the door something caught him by the neck an pulled him oot. This was the wee woman. 'You gave me a hammerin doon by the burnside,' she says, 'now you have tae fight me for a year an a day.'

'Och,' he says, 'an auld cratur like you. I dinna want tae have tae fight wi you.'

'Don't go by my size,' she says, 'for I can grow,' an it was the Devil she turned intae. So they fought an fought an fought for aboot half an oor, an he came crawlin intae the hoose on his hands an knees.

'My goodness,' says his wife. 'What happened tae ye?'

That auld woman at the bridge that took the muffler off me, was the Devil,' he says. 'I've tae fight for a year and a day every night.'

This went on for three months till he could stand it no longer and went an telt his faither. 'I told you son, not to meddle wi that wee woman. The best thing ye can dae is pack up an go to America.'

'I never thought o that,' says the shepherd. So he went an booked his passage an packed up an went away on the boat. The first night of the voyage, a rap came to his cabin door, an here was the wee woman.

'Ye needna try it,' she says, 'Doesnae matter if ye go tae the other side o the world, I'll be there.' So he had to fight every night on the boat an when he landit he thought, 'There's nae use bidin here, He's here just like he was at home. I'll have to go away back again.'

So he came home again an fought the Devil every night until the year an a day was up. Then on the last night when they had fought an he was all black an blue an bleedin, the Devil turned back intae the wee woman an says tae him, 'Now that's the last night. Ye're a hardy man, shepherd, a hardy man. But let this be a lesson to ye not tae hit everything ye see on the road.'

'I'll remember that,' says the shepherd. When he went back intae the hoose, aa the soreness left him an he was as fresh as a daisy. Last time I saw him he was doon at Blairgowrie at the berry-picking.

Told by Alec Stewart

The White Stag

Away before my time or yours or anybody's here, hundreds o years ago there was a king who ruled wi a rod o iron and he had a daughter about fourteen, he never let out of his sight. The only man who ever saw her was the henwife's son Jack, who was a good fellow in a way, very fond o animals, but he just lay at the fireside aa the time, very lazy he was. When his mother did lay intae him an get him outside tae dae something, he went outside an gien hissel a shake an just blindit the place for aboot three days wi the ashes and stour aff his claes.

One day he was oot breakin sticks an he sees aa the knights an earls an swordsmen goin towards the king's palace. 'Where are aa the knights an soldiers goin?' he asks a man passin.

'Oh,' he says, 'they're goin tae the palace. The queen's daughter's gone missin an they're searchin the country for her. There's a great reward for anyone that can throw any light on it.'

So Jack's sittin an he's thinkin tae hissel, 'Naw, I couldnae get her, for as far as I would walk roon ma mither's hoose here, she wouldnae be there!'

But his mother come oot an says, 'Go tae the wuds an fetch a wee bundle o sticks in, I'm needin firewood.'

So he gets a rope an away he goes through the fir trees. The sun was shinin through them an it was a lovely day. He heard this moanin sound an the bushes rattled an he goes across an he sees a white stag standin wi its leg hangin an it's tryin tae keep on its feet. Jack was very good wi animals an was always fixin his mother's hens an ducks. The stag looks at him, a pure white stag wi pink eyes, an he got it by the horns an led it doon tae the cottage an put it in a wee shed at the back. He bathed the leg an put healin stuff on it, butter wi herbs in it, an eventually the stag's leg came aaright. So he takes the stag tae the wood an says, 'On ye go, now, your leg's fine.'

The stag looked at Jack an says, 'Jack, you've been very good tae me. Now, if I was you, I'd go up tae the king's palace an volunteer tae go an look fur the princess.'

Jack says, 'Where could I go an look for a princess? I've hardly a bit o claes tae put on ma back an look what I'm wearin for a sword—a scythe blade!'

'You go up,' says the stag, 'and volunteer tae get the princess. When ye come away tae look for her, go towards the setting sun.'

'What'll I do then?' says Jack.

'You'll know what to do,' says the stag.

So Jack came back to the cottage an the deer galloped off through the woods. As he was eatin a barley bannock an supping some braxy bree, he says tae his mother, 'I think I'll go up tae the palace and offer ma help tae find the princess.'

72

'Ach,' says his mother, 'ye silly fool! If you go near the palace they'll chase ye.'

'I'm gonny try anyway,' says Jack. He tightens the straw rope roon his middle, rubs his scythe blade wi an oily rag an away he goes. There were no big avenues at that time, just rough roads that horses had been up an doon. He walks up tae the palace an there were crossed swords an spears as he went to the front door. 'If you've any vegetables, round the back!'

Jack says, 'I want to see the king.'

Oh here, an awfy scurry-burry! Yin o these knights steps forward wi a drawn sword an Jack steps back an draws his scythe-blade, when the king shouts from the wall, 'What's wrong down there?'

'It's a poor man. We don't know who he is.'

So the king comes down an he sees Jack an says, 'I think your mother works in the garden.'

'Yes,' says Jack. 'It's my mother that works in the garden. Does that make her any poorer if she works in the garden? My mother's a woman just the same as any other and I'm a man the same as these knights.'

The king started laughin. 'Well, what was it you were wantin? I'm not in a mood for laughin, because my daughter's a-missin.'

'Oh,' says Jack, 'I've heard about it, an I've come tae offer my services to go an find her.'

'What?' says the king. 'That's very nice of you.'

'Is it the truth that whoever finds her will get her hand in marriage?'

'Yes,' says the king, 'and half the estate.'

'Well, sir,' says Jack, 'I'll go an push ma fortune.'

He's away out through the gates an he followed the settin sun and he walks an walks an walks till he was standin lookin towards this big black wood. An what does he see but the white stag rearin up an pushin its heid agin the bushes.

'That's my cue,' says Jack. 'I'll follow the stag.'

So he's down banks, owre wee burns, up braes an on an on an on till he comes tae a wee thatched hoose. An who was in this hoose but an auld, auld man. The stag was standin away about five hundred yards fae the hoose wi its heid in the air. Jack goes tae the door an chaps an the auld man came oot. 'Hallo,' he says, 'we don't get many strangers this way.'

'I'm on an errand for the king,' Jack says. 'I'm lookin for his daughter. I want tae know if you can tell me anything about it.'

'The only thing I can tell you,' he says, 'is to beware o that black wood. There's crushing trees in it. If ye walk through they crush you. But I'll give ye something that'll help ye.'

He went intae this wee shed an took an auld bit o sparky rope. 'Take that wi you,' he says, 'an follow the rope till ye get through the wood. Fling the rope oot in front o you whatever way ye're goin.'

So Jack come oot clutchin the rope an he follows the deer again, goin away for this wood an he went intae the wood, forgettin the rope an the trees came towards one another an nearly crushed him. So he flings the rope in front o him, keepin a hold o one end o it an he followed the rope right through till he got through the wood.

When he comes tae the ither side o the wood, he sees the big stag again an it waits an says, 'Jack, ye got through one o your real difficulties. Now, do you see that old tree across there?'

'Aye,' says Jack.

'There's a houlet's nest in it. Put your hand in an you'll find a wee bit o cloth. Take it oot an pit it in your pocket.'

So Jack put his hand in an he finds the cloth an puts it in his pocket. Then the deer goes away again for the setting sun an Jack follows, on and on and on. He forgets aboot time but aboot a week later, he reckoned, he came to the seaside, where a ragin sea was comin in an goin back an there were whirlpools right across tae the other side. The stag says, 'This is another o your difficulties, Jack. You'll never get across there. Even a boat could hardly get across. But if ye jump on my back I'll swim.'

So Jack climbs on the white deer's back and gets a haud o its big antlers an plunges intae the sea wi him. An it's swimmin an swimmin an it's gettin whirled roon an whirled roon, an it says tae Jack, 'Can ye get tae your pocket?'

'I might,' syas Jack, 'but I'm half off your back as it is, wi the waves lashin me.'

'Well, try an get that bit o cloth oot.'

So Jack eventually gets his hand intae his pocket an he pulls the cloth oot. 'Spread it across my horns at the back,' says the stag, 'an cleek it ontae the wee points o the antlers.' Whenever Jack put the cloth on, away it went like a sailing ship till it come tae the ither side.

'Now,' says the deer, 'I'll no go in front o ye so far this time, because we're comin near about where the Black King is, that sold hissel tae the Devil. He's got a fierce army in his palace, over intae the back o that hill withoot ony trees on it. He's guarded night an day by fierce dogs an worse men.'

'Well,' says Jack, 'we'll have to get by him.'

'Ye'll have tae beat him,' says the stag, 'for he's got the princess.'

'Oh,' says Jack, 'we'll have tae beat him.'

'Now,' says the stag, 'jump on my back and look in the point o my top antler.'

Jack climbs up on its back and looked an says, 'I see a thing like a whistle.'

'Well,' says the stag, 'screw it oot an keep it in your hand.'

The two o them went tae the top of this brae through the heather an lookit doon an there on the ither side was this palace. An there were regiments o battle-clad men wi swords an fiery arrows an great bayin hounds o dogs.

'Oh,' says Jack, 'we're done for.'

'Don't run, Jack,' says the deer, 'Blow that whistle!'

So Jack blew the whistle and every bell on that heather on the hillside turned intae an armed man an they were comin at his back in thousands, they were doon the brae wi their battle-axes and swords and there was a fierce battle I can tell you! But the number o men that came when Jack blew the whistle would have overwhelmed half the China army! When the Black King's men aa lay dead the deer says, 'Blow one long blast on your whistle now, Jack.' With that the men disappeared an the hillside was the same as before. 'Now,' says the deer, 'we'll go down to the castle.'

Down they come to the castle and knocked at the door but there was no answer. There wasn't a soul aboot. Jack pulls this big bell an he hears the tramp of feet and out comes this king aboot eight feet high and the ugliest man ye ever saw in your life.

Jack pulls out his scythe blade an says, 'I've come for the young princess.'

The big man looked at him. 'Ye've killed all my army and aa my fierce dogs and left me standin maself. I suppose there's nothing I can do but give her tae ye.'

So he took Jack to a room and opens the door and there was the princess. 'Come on,' says Jack, 'and hurry tae we get away.' Jack told her as they came out that he was from her father's palace and when they saw the deer he told her to jump on its back and they're back to the shore o the ragin sea. 'Hang on, Jack,' says the stag, 'an pit that cloth on ma horns till I get back tae the ither side.' The deer plunged in an the princess was a bit timid but Jack held her on an he gets the cloth across the antlers and when the wind hit it, it just went through the water like a yacht. 'Now,' says the deer when they got tae the ither side, 'we'll take a wee rest here, then the two o you can get on my back an I'll make as quick work in gettin back as I possibly can.' They waited until they got their breath back, then the deer's away very fleet-footed back tae the houlet's nest an Jack put the cloth back, for as the stag said, 'Ye never know when ye might need it again.'

Then they came back tae the wood wi the crushin trees. Jack's away wi the princess, throwin the rope in front o him an takin the princess through. When he landit on the ither side, he lifted the rope up too quickly and two trees crushed the poor deer who had been followin him. An there it was lyin, wi its big pink eyes lookin up at Jack. 'I'm finished,' it says, 'the trees got me. Ye'll have tae skin me an take my head an my heart an roll them in the skin an take them back tae your mither's hoose. Go up the face o the brae where your mother likes to go for a walk an put my head on the ground facin doon the valley, wi the antlers stickin up, just as if I was lookin doon the valley. Then take my heart an bury it under the wee laurel tree at the back o the hoose.'

'I'll do that,' says Jack, and the tears was droppin oot his eyes.

'Later on,' says the deer, 'you'll find out about the All-Seeing Eye.'

So Jack gets his knife oot an he's skinnin the deer wi the tears still droppin, an he cuts the heid off attached tae the skin an takes the heart oot an rolls it up wi the great heid an the horns an they walk on. They came past the house o the auld man that gied him the rope. 'I see ye've succeeded,' says the auld man. 'I'm glad I gave ye the magic rope.'

'Thank you very much,' says Jack, 'I'll never forget it. There's your rope back, an thank you very much.'

He walked on wi the princess until they came tae the brae near his mither's wee hoose an the king's palace was in the distance. Jack took the deer's heid an he trimmed the skin along the back o its neck an he sets it doon where there was a lovely view lookin doon the valley. The two big pink eyes were still bright wi a look about them that you actually thought they were live, although they were dead.

Jack came back doon tae the hoose an he told his mother the story of all that had happened, then he went tae bed. Next mornin he looks up the brae an you talk about a palace! There was a palace the shape o the deer's head o red polished stone, wi towers where the antlers had been. Then he mindit the hairt and the skin. 'Oh,' he says, 'I forgot to bury them.' So he takes them oot tae the laurel bush and digs a wee hole an pits the hairt an the skin in an covers them wi dry leaves. Then he says tae the princess, 'Afore ye go tae your father's palace, let's take a walk up the hill till we see yon palace.' They go up an they see two big round windows wi thick pink glass an when they went up the carpeted stairs tae the room where they were, they found they could look oot an see everything in the land, the whole world stretched in front o them when they looked through! An a voice came tae him an says, 'Jack, you've the only palace in the world wi the All-Seeing Eyes.' Then he knew it was the deer's eyes he was lookin through an he was half-cryin tae hissel as he came doon the brae.

He took the princess back to her father's palace an he was overjoyed tae see his daughter. There were great festivities, but poor Jack wi his scythe-blade for a sword was left oot, till the princess missed him an she demanded tae see him an took Jack in and told her father everything he had done.

'Well,' says her father, 'I promised him your hand in marriage.'

'I wouldn't have it any other way,' she says.

Now Jack and the princess got married and there were three days of balls and feastin an they go to live in the Palace o the All-Seeing Eyes. An Jack came doon tae his mother's hoose an says, 'Ye'll need tae come oot o there, mother, and come an live with us.'

'Oh,' she says, 'but who's goin tae feed the hens? An who's goin tae feed the twa wee deer that's at the back o the hoose?'

She takes him roon the back tae show him an there's a white stag and a white doe! The identical stag whose heart Jack had buried! They ran roon him four or five times, brayin an jumpin, then they're away through the woods. Jack took his mother back to the palace and they lived happily ever after.

Told By John Stewart

The Cockatrice

In the days when aa landed men were made oot tae be kings, there was a
king who had a lovely wife. The place was gaun on well, but she wad never
give birth tae a child. But one day the king was oot on horseback shootin wi
his bows an arras an he met an auld woman. 'Out o the way, auld woman,'
he says, 'till I get past!'

'Oh,' she says, 'if you knew who I am, you wouldn't speak tae me like
that!'

'Well,' he says, 'who are ye?'

She says, 'I'm the only woman in all the land who could give you the wish
that's most dear to your heart.'

'Oh,' he says, 'an what's that?'

'You were wishin,' she says, 'that your wife would give birth to a son or a
daughter.'

'That's right enough,' he says. He started gettin interested in her crack
now. 'Have ye any place tae go?'

'No,' she says, 'I just wander about. I'm quite happy.'

'If you come up to the castle,' he says, 'ye can feed the hens an help ma
wife in any way an ye can stay as lang as ye like.'

So this auld woman says, 'I'll go for the matter o a year, because that's all
the time I can stay. I come from a place that nobody knows.'

'Where's that?' says the king.

'Oh,' she says, 'that's away at the Back o Beyond on the other side o
where the Devil fooled the fiddler. An if your horse was made of iron an
your bows an arras made of steel, ye'd never reach the land I come from.'

She dawdled on behind the king an his men back tae the castle an he
showed her a wee place tae stay an feed the hens. The queen hersel used tae
come oot an chat wi her but she wad never say ony mair o whaur she came
from or who she was. She was a tall woman an ye could crack walnuts
atween her nose an chin. When she'd been there for comin up nine months,
the king says tae her, 'I don't see any odds o ma wife. I thought ye were
gaun tae help her?'

'Oh,' she says, 'ye've never noticed, but your wife's in the family way.'

So he went tae the queen and asked her. 'Oh yes,' she says, 'but with all
your runnin an shootin an drivin here an there, ye've never noticed.'

So he comes doon tae the old woman an he says, 'Now, we've no doctors
or midwives aboot these lands. Do you know anything aboot that?'

'I know everything,' she says. 'I'll stay until your wife has her child.'

Time rolls by an one day the king sees the auld woman at the henhoose.
'What are ye doin?' he says.

'I'm takin these two eggs for ma tea,' she says.

'Well, ye've nae right takin them withoot askin,' he says very abruptly.
'Well, your highness,' she says, 'I didn't mean tae offend ye in any way. I never thought ye'd miss two eggs. But ye'll maybe live tae rue it.'

Eventually the queen has her confinement an ye want tae hae seen the wean! It was a hunchback an it had a club fut an only one eye. The palace was in an uproar! He says, 'Where's that auld hag? It's her tae blame for this!'

The servants were runnin here an runnin there, lookin for the auld woman but she wasnae tae be found. The queen says, 'Just leave the child alone. It canny help it. It's God's will.'

Time rolls on an the laddie grows up an he couldnae rin as hard as the rest o them an he's like a crupach. But when he comes tae aboot nineteen or twenty his father telt him aboot the old woman. 'We blame her,' he says, 'for the way you were born.'

'Tell me what she said about horses made o iron,' he says.

'She said if our horses were made o iron an oor bows made o steel, that we wad never reach the land that she lived in.'

The lad says, 'Och, I think I'll go an search. She's maybe known in some ither part o the country.'

He went an saddled a horse, pit some bannocks in a bag an went tae search for this auld woman.

He traivelt on an on, askin aboot this auld woman, but nobody knew who she was and they didnae ken what he was talkin aboot when he asked them aboot the Back o Beyond where the Devil fooled the fiddler. He came up this wilderness o a glen where hooses were very scarce an his horse went lame an he was sae tired, he threw hissel doon tae rest. After a while he looked at his horse's fit an he took his knife and scrapit the hoof an he found this thing like a roon stane an it was glitterin. He pit it in his pocket an lies doon again. Then he hears this swishin noise and he was enveloped in something like a cloak an he felt hissel bein carried for a good long time. When he was left doon, this stuff that enveloped him disappeared and when he lookit aboot he was in a big dark cave an what was aa aroon him but cockatrices! They're big giant snakes wi wings. An one o them says tae him, 'Where are you goin? This is private territory.'

'What did you dae wi ma horse?' he says.

'Your horse is aa right,' says the cockatrice. 'We couldnae take it up here.'

He was in the cave for three days, a wild stinkin place, an these creatures never offer him anything tae eat an he's stervin o hunger. Then a smaller one, a young one came up tae him an says, 'Ye'll have tae try an steal bits o what they're eatin if ye want tae live, for I don't think they'll ever let ye oot.'

So he's stealin these bits o frogs and mice an eatin them oot o pure hunger tae keep hissel livin, an he's wonderin how he's gaun tae get oot o the cave. Then back in the end o the cave this young cockatrice says tae him, 'I could get ye oot o here, even past ma mother an father, if ye do what I tell ye. Noo, they're aa egg-layers. If you could creep intae the shell o that egg that's halved in two, I could join it thegither. The eggs has tae be rolled out for a certain length o time in the sun, when any o ma brithers an sisters is goin tae get born. I could roll ye oot an then it'd be up tae yersel tae get away.'

'Aa right,' says Jack, as he was caaed, 'I'll take ony chance at aa.'

'We'll dae it first thing in the mornin, before the sun comes up.'

Jack lay awake aa night an just afore daybreak he goes ben an the cockatrice is lyin coiled up. He got intae the shell and the cockatrice pit the two bits o shell thegither an sealed the seam wi saliva an pushed it oot. Jack breaks the shell wi his knife an looks oot. Naebody there! He crawls oot o the shell an he's up on a precipice! But he could see footgrips here an there, so he hangs on wi tooth an nail till he gets to the bottom an there's his horse wanderin aboot. Then he put his hand in his pocket an he finds an egg there. 'I've got one o their eggs wi me,' he says. 'Ach, maybe it'll bring me luck!'

He jumps on his horse an he comes on up this glen tae where he meets an auld man an he asks him, 'Did ye ever meet an auld witch woman from the Back o Beyond?'

'I've never heard o the place,' he says. 'The further ye go this way, the country gets wilder. Nobody ever goes five or six miles beyond here. Nobody knows what's on the ither side o this barren country.'

'I'll have to go on,' he says. 'I'm no carin where I go.'

He goes on an when he's sittin at the side o a burn takin a drink o water, he feels this movement in his pocket an when he puts his hand in, here is this young cockatrice, newly hatched oot. He gives it a wee bit o what he's eatin an pits it back in his pocket. The next day it's too big for his pocket an it startit tae grow an grow. At last it says tae him, 'Where are ye goin?'

'I'm goin tae look for an auld witch fae the Back o Beyond.'

'Ye're at the start o the Back o Beyond,' says the cockatrice. 'That's what they caa this country.' Every minute o the day, this cockatrice is gettin bigger till it's comin on ahint him, learnin tae fly wi its big leather wings. 'Now, ye'll no get any further for there's a mountain range that none can get through. It's like walkin against a blank wall. Whatever kind o magnet's in it, if there's any steel on it, your horse would stick tae the cliff!'

'What's doon this ither way?' says Jack.

'Oh,' he says, 'that wad take ye doon tae the sea.'

'I'll go doon there,' says Jack, 'an maybe I'll see somebody doon there who'll be able tae help me.'

'Ye'll no get anybody doon there but fish and porpoises an sharks,' says the cockatrice.

Jack goes doon an he's sittin on the sand an he's lookin oot tae sea an porpoises an seals are jumpin roon him.

'Ye're lookin very weary, Jack,' says one o the porpoises.

'My goodness,' says Jack, 'can you speak tae?'

'Nearly everything in this country can speak,' says the porpoise. 'We're awa fae civilisation here.'

'What's that white patch on the water there?' says Jack.

'That's an underwater spring well. Ye don't often see that.'

'I bet there are nice places under the water,' says Jack, 'wi caves and funny kinds of fish.'

'Wait an I'll show ye,' says the porpoise an he dives awa aneth the water an it comes back wi a thing like a crystal eye. 'There's something ye might find a use for,' he says. So Jack puts it in his pocket an he feels the other stone there, the one he took fae his horse's hoof. 'Here's another one I found.'

'Well,' says the porpoise, 'ye'll never be in want when you've got that one. If you keep it in your mouth, you'll never be hungry.'

So they waited and the eagle came and landed on a rock an Jack says tae drinkin, he just felt fresh aa the time. 'It's workin,' he says.

They were walkin on an on, when all of a sudden his horse seemed tae waver an its steel trappins were trailed oot tae the rock side an stuck. His pocket knife was pullin him inside his pocket an it's a good thing he didnae hae nails in his shoes or he'd been stuck feet first. But in those days it was moccasins he was wearin. Between the cockatrice an himsel they got the horse free. 'Now,' says the cockatrice, 'if ye follow me, I'll take ye tae the double-headed eagle whose territory this is. If he doesnae ken any way through here, we may as well turn back.'

'Where can we see him?' says Jack.

'He comes here at sunrise every third day', says the cockatrice.

So they waited and the eagle came and landed on a rock an Jack says tae him, 'I'm lookin for the land beyond these hills where the Devil fooled the fiddler.'

'Oh,' says the eagle, 'ye'll no see anything if ye go there.' But as he spoke the crystal eye fell oot o Jack's pocket. 'Where did ye get that?' he says.

'I got it from a porpoise that was swimmin in the sea,' says Jack.

'In that case, leave your horse here tae graze, climb on my back an your cockatrice can follow. Do as I say.'

So Jack climbed up on the back o the two-headed eagle an they soared away. It flies away up high an straight across an it lands on a cliff lookin out intae darkness just like the edge o the world. 'Now,' says the eagle, 'ye see why it's caaed the Back o Beyond where the Devil fooled the fiddler? Now, get that crystal stone an put it in your blind eye.'

So Jack rummaged in his pocket an got out this wee glittery stone an when he pushed it intae his eye, he saw the loveliest country ye could wish tae see, wi green fields an towerin castles an people walkin aboot.

'Now,' says the eagle, 'if ye go down there, it's at your own risk. If ye want oot, ye'll have tae get me here, in three days' time on this rock.'

So wee humphy Jack gets doon an he sets off wi his cockatrice an they're comin past the people in the toon. Everyone seems tae be workin an carryin loads an they were a poverty-stricken looking lot, wi men along wi them tae see that they did this an that. Jack came to the big iron gate in the centre o the toon an there was a big flash o light an the gate swung open an oot came a man wi a grand robe on him an a long golden beard. 'Welcome,' he says, 'tae our domain. You're the first person from outside that's ever been here. There's an old witch that rules here an she makes the people work hard. All the gains she keeps for herself. She lives in that castle on the side o the hill an you're the only man that can break the spell.'

Jack says, 'How am I goin tae break the spell?'

'Well,' he says, 'you'll have tae go up wi your cockatrice, for *he* kens what to do. The cockatrice kens.'

So they went to within a hundred yards o the house an the cockatrice says, 'You wait here, Jack.' It grew three times as big again an flew intae the house, right through the castle doors an there was a terrible carry-on inside the castle. Then it came oot wi the auld witch in its mooth but she was aa dressed in finery noo. She looked at Jack an says, 'Ha! I know who *you* are! You eventually got here. I don't know how ye did it, but you've done it an you've ruined me!'

Wi that she droppit deid and the cockatrice turned intae the loveliest young princess ye ever saw in your life. When Jack got his thoughts thegither, his old self was away an he was standin tall, there was no humph an he could see wi his two eyes. The gentleman wi the golden beard wi a crowd o people behind him came up tae Jack an shook hands wi him. After two days' festivities in this town, he took the princess wi him tae the place where he had tae meet the eagle, an the eagle flew them back tae where his horse was and they traivelt back tae his father's domain an they lived happily ever after.

Told by John Stewart

The Silver Sixpence

There was a man that knew the people of a certain glen and seemingly when he came tae visit the folk, they were talkin an complainin aboot no gettin the milk fae the kye. So the man says, 'What's happenin?'

'Well,' they says, 'we take the kye in an they're no in ony time an we go an have wir tea an when we go oot tae milk the kye there's no a coo will hardly yield a pint.'

'Dae ye no see onybody aboot the place?' he says.

'Naw,' he says, 'I never saw a sowl. They couldnae dae that onywye, because we would see them cairryin it awa.'

'Did ye never see onything?'

'Not a thing.'

'Well,' he says, 'I'll tell ye. I'll go oot tae the byre when ye take the kye in an I'll sit an watch.'

So they took the kye in that night an the boy got the auld muzzle-loader gun, loaded it up wi a bent silver sixpence an he's lyin among the byre straw. An he hears this scurry an he looks an it's a big broon hare comes hoppin owre the bank an through this hole in the door the hens go in an oot. An he goes roon every coo in the byre an takes the milk. The man was that dumbfoondered he couldnae shoot for watchin what the hare was doin. Just as it was gaun oot the door, he fired a shot at it, but it scurried awa. An it was the winter time, so he went an telt the farmer, 'We'll go oot an see where it goes.'

So they went oot an they could sse a spot o blood here an a spot o blood there in the snow an they tracked it owre tae this auld wumman's cottage, the ither side of the glen. They went tae the door an she roared tae them that she couldnae come oot. They pushed the door open an came in an she was lyin in bed. The man caught her an saw bandages roon her hand, cloots tae keep it fae bliddin. He took the bandage off an got oot his pocket knife an pickit the silver sixpence oot o the wound in the loof o her hand.

Told by John Stewart

The King and the Miller

Once upon a time there was an old miller and he had a lovely daughter, one of the nicest, fairest girls in the land. Now he used to go up round the dam for a walk every summer's evening. He made it his point just to see everything was right, round about the dam and the mill. So this afternoon he was up round the dam, walkin wi his hands at his back an his auld white baird blawin in the wind, when down comes the king.

'Good evening,' says the king.

'Good evening,' says the miller.

'Well,' says the king, 'I'm doon here, miller, tae see ye aboot something.'

'What's that?' says the miller.

'They tell me,' says the king, 'ye've a lovely fair daughter. I've seen her once or twice an I've fallen in love wi her an mean tae marry her. I'm gonnae gie ye three questions tae answer, an I'll gie ye a year an a day tae find the answers fir them. If you don't answer the questions, I'm marryin your daughter.'

'Well,' says the miller, 'what's the questions ye want tae ask me?'

'Well,' he says, 'I'll meet ye here in a year an a day an ye've tae tell me three things: the weight of the moon, plus how many stars are in the sky an at the time I'm speakin tae ye, what I'm thinkin, at that present moment. Good day tae ye miller.'

So the king turns an gallops away. The old miller comes round the dam and danners doon intae the house. He was very sick-lookin when he cam in an his daughter's at him, 'Tell me father what's wrong wi ye, tell me this?' But no, he would tell her nothin an he says, there was nothin at all wrong. Now this young girl, the miller's daughter, was courtin another miller's son from several miles away an now, when the boy comes across at the weekend, he saw an awfu difference in the auld miller. He says tae the lassie, 'What's wrong wi your father?'

'I don't know,' she says. 'He'll no tell me.'

But about a month or so afore the year an the day were up, the fellow says tae the lassie, 'We'll hae tae get him tae tell us what's wrong wi him. The mill's goin all right. He's gettin plenty o corn an wheat tae grind an the market's no bad. It canny be money that's wrong. If I thought it was money, we'd help him oot, oorsels.'

'It's no that,' she says. 'It's somethin that's on his mind an he'll no tell us.'

That night at supper, the two o them gets at him an argues an argues an argues till the auld man tells them aboot the king comin doon an that if he didnae answer the three questions, he was gonnae marry the daughter. Right, wrong or any other way, he was goin tae marry her.

'What's the questions, miller?' asks the young fellow.

He says, 'I've tae tell the weight o the moon—an impossibility—an I've tae tell him how many stars are in the sky—another impossibility—and at that minute, I've tae tell him what he's thinkin!'

The young man lookit at him. 'They're hard enough questions,' he says, 'but I wouldnae bother aboot them, if I wis you. Just leave it tae me.'

So time goes by, weeks go in an days go in, an at the finish up, the auld miller's wanderin roon the mill dam, wi his hands behin his back an his auld white baird blawin in the wind, when the king arrives doon on his charger.

'Good evenin, miller,' he says. 'I suppose ye know what I'm here for.'

'Och,' he says, 'I hardly thought aboot it. It was some questions, was it no?'

'Aye,' he says. 'Have ye got the answers?'

'I canny mind,' he says. 'What was your first question?'

'Ye had tae tell me,' he says, 'the weight o the moon.'

'Well, that's quite easy, your majesty,' he says. 'There's four quarters in the moon an four quarters make a hundredweight. The weight o your moon's a hundredweight. If ye don't believe me, weigh it for yourself?'

The king scratchit his heid. 'The next one will get ye,' he says. 'How many stars are in the sky?'

'Well,' says the miller, 'the last time I countit them, there was fifty six billion, ten hundred thousand million, four hundred an sixty seven thousand and four. If ye don't believe me, start an count them yourself.'

'Very good,' says the king. 'Very good. But now ye're tae tell me, what I'm thinkin.'

'Well,' he says, 'you think you're speakin tae the auld miller. But ye'll fin oot, it's his guid-son.' An he pulled the false beard an moustache off. 'I married his daughter yesterday!'

Told by John Stewart

The Face

About 1939, I went intae the RAF an I was stationed at a place they call Walkin Camp. It was my first leave an I dashes tae the train in a hurry tae get home. I didnae have a lot o money an I was tryin tae save it, for I had a good long stop in Edinburgh an I wantit tae keep it, no for an English drink, but for a Scots drink. So the train rumbles on an eventually lands in Edinburgh. I'd Montrose tae go to an I had aboot an hour tae wait, so I comes up an ontae the street. It was the time o the blackout and I didnae know whether it was Princes Street or no—I'd only been in Edinburgh aboot twice before, an I'm havin a half pint here an a half pint there, just tae pass the time. I'm goin into this pub when I bumps into this woman in the dim light an she says, 'Hallo John.' She was a young woman of about twenty-one or two.

'Hallo,' I says, 'I dinny know you. Come owre here intae the light,' an I takes her intae the light o the chip shop, but I didnae know her fae Adam.

'I'm Jean Stewart,' she says. 'I'm a cousin o your ain.' She pits me in mind, askin for this body an that body. 'That's fair enough,' I says. I crackit that long tae her that I knew fine if I'd run for my train, I'd never hae caught it. I tell her I'll need tae go an look for a bed for the night. She says, 'That's aa right. Come on up tae my hoose.'

'Whaur dae ye stay?' I says. I couldnae tell ye whaur she took me. Through more streets an up back streets an it was up one o thae ootside stairs, then up an inside stair an it was a kin o attic where she stopped. The lassie took me in an it was a lovely wee hoose, furnished tae the door an the fire glitterin made it look comfy. She pit the light on an says, 'Jist sit doon there, an I'll go an get somethin for the tea. D'ye want fish?'

'No,' I says, 'I'm jist after a fish when I come up.'

'Well,' she says, 'I know a wine shop at the fit o the road. I'll maybe get two or three bottles o beer off him an he's no bad wi a half bottle.'

I pits ma hand in ma pocket an I think it was a fiver I gien her. She says, 'Jist take yer jacket off at the end o the chair there an I'll no be minutes. Or ye can go tae bed.' It was one o thae boxed-in beds. 'Whaur are *you* gonnae lie?' I says.

'In the bed,' she says.

'I couldnae dae that,' I says. 'I'll sit in the chair aa night.'

'Dae what I'm tellin ye,' she says. 'Go tae bed.' When she said that wi the kin o look in her eye, I felt kin o queer. I couldnae help thinkin o my wife Maggie. I wait till she goes oot an I takes ma claes off an I looks at the bed. When we were young ma father made us lie withoot shirts, in case o pickin up lice in a strange bed. He was a clean kin o man. So I gets ma troosers, shoes an shirt an pits them under thae pillae an gets intae the lovely clean

85

sheets. I'm lyin smokin, for maybe five minutes, waitin for her tae come back wi the half bottle, when I hears a rattle at the back o this picture an the hale picture slides doon an there was a man's face, wi a beard, an a skean dhu in his hand! He leans through an he says, 'I'll learn ye tae lie in my wife's bed!' An he made a lunge at me!

I threw masel oot o the bed naked an I could hear the knife goin crunch intae the bed. Oh boy, I'm oot the door an doon the wudden stair, doon the ootside stair! I thought he was right at ma back. Ye think very quickly when ye're in a situation like that! So I ran doon a cobbled close tae a brae like that in the middle o Edinburgh an I see flashlights. Who was this but two policemen wi their square lamps like bulls-eyes in front o their belts. 'What's wrong, what's wrong, what's wrong?'

'A man up the stair made a dive at me wi a knife,' I told them.'

'Where aboot was it?' they asked me. An I'm chitterin! It was kin o frosty an twelve o'clock at night. 'Come on back wi us till we get your claes.'

But could I find that hoose again? I tried every stair an every close was the same. They were aa the same type o hoose an wi the fricht I'd run further than I thought. I heard one say tae the ither, 'I think he's a bloody loony! We'll just run him in.'

Says I, 'You'll nae run me in, boy,' an I takes off doon the close. The boys are blawin their whistles at me an I'm doon the close an ontae anither road till I comes tae a sleepered fence. I wheels right like a hare an wi me bein barefit an me naked, I was liftin bits oot the grun. I was like a whippet! I hears the crood ahin me an it's fadin an fadin an I climbs this sleepered fence an awa doon the ither side. Oh ma feet! It was a railway line an I'm jumpin fae sleeper tae sleeper on ma bare feet. 'I hope a train doesnae come,' I says. I didnae know it but it was the Forth Bridge I was on an I saw the water on each side. By this time it was kin o breakin daylicht. 'If I'm caught naked,' I says, 'I'll get the jail!' It was the back end o the year and it was frosty. I'm tryin tae see in the fields where the tatties had been lifted if I could get a scarecrow wi a jacket: I was desperate! I sees this scarecrow on the skyline an I goes right owre tae it an aa it had on was a tile hat, an auld busted tile hat. Nae jacket, nae a pair o troosers, but a tile hat! So I says, 'It'll keep ma heid warm, anyway!' I sticks the tile hat on an cam back tae the road an up roon the corner an I looks across a wee bit field and I sees a wee peep o light. 'I wonder is there anybody in that hoose?' I slides through the fence an owre the field an the hoose was there beside a wee blackthorn bush an it's breakin daylicht mair an mair, so that I could vaguely see a man an a young woman come oot the door an they stood talkin. 'Now,' I says, 'if I could get that boy tae look, I could gie him a wave an explain tae him.' But instead o him lookin, it was her an she turned tae him an I suppose she said, 'Oh, the naked man!' They turned tae go in the door as I stood up an roared at them. I thocht, 'I'll mak a kirk or a mill o it.'

But the two of them went intae the hoose an then there was aboot twenty o them came oot an they looked at me, naked wi the tile hat on. The whole lot run off! Roon the end o the hoose an away up the field they run!

I goes owre tae the hoose an chaps at the door an opens it. Not a soul in it. The table was set, whisky on the table, a fire kennled. I says, 'What's this? I'll hae a slug o the whisky, whether the polisman comes or no. They canny kill me.' So I'm rammin bits o beef intae ma mooth an sups o whisky. I'm lookin noo for claes an I got an auld wumman's jacket an a pair o auld slippers. Then I went ben the hoose an I felt somebody lyin in the bed an it was a deid body. It was a wake that was in the hoose!

I cam oot the bedroom an it's another slug o whisky quick an I'm off an onto the road an away. I wasnae sae bad noo, wi the jacket on an aboot two mile fae there I came tae an estate wi a waa roon it an I hears a scrape, scrape, scrape at the back o this dyke. I thinks if there wis somebody workin there wad gie me an auld suit or something I'd be aaright. I climbs up an looks. This was an auld man an he was jist screwin his lantern doon. I says, 'Excuse me.'

He turned his face away an says, 'Don't speak tae me.'

'How no?' I says.

'Why I'm oot workin at night,' he says, 'is because I'm that ugly, people make a fool o me. I'm the gardener here an I stay roon the back o the big hoose. I do my job at nicht wi the light o the lamp.'

Says I, 'Let me see your face.'

He turned roon an aw! he was ugly! He was like thon Hunchback o Notre Dame. Even worse! But I says, 'Your face is no that bad, man! I've seen worse faces many's the time.'

He says, 'What dae ye want?'

'An auld suit,' I says. 'A pair o troosers tae pit on me.'

I telt him hoo I cam tae be stuck here. 'You find a face that's worse than mine,' he says, 'an I'll gie ye twenty pound an a suit!'

So I faas back doon the back o the dyke again an an idea come intae ma mind. I runs back alang the road tae this wee hoose where the wake was. It wasnae still broad daylight an I'm feelin aboot an I tears the blankets up an then I gets the auld carvin knife an I skins an I skins till I gets aa the skin aff the face. I pits it in a paper an I takes it away up the road an he's still scrape, scrape, scrapin away at the back o the dyke. I climbs up an goes owre but it's anither man that's there workin. I says, 'You're no the man I was supposed tae see here.'

He says, 'It's Bert ye want tae see. Ye'll be lucky if he comes oot.' He goes away an eventually the ither man comes doon the back o the bushes, doon the side o the waa.

I says, 'It's me. I've come back wi that face ye were talkin aboot.'

He says, 'Let me see it.'

I chucked the parcel an he opens it an takes it oot an looks at it. 'It's a queer face, that,' he says. 'Instead o the mooth bein that way—side tae side—it's that way—up an doon. An there's jist a roon hole for the nose.'

It was an auld wumman that had been deid an I'd skinned her airse instead o her face!

He says, 'Wait an I'll gie ye yer twenty pound an yer suit!'

So that's how I got hame tae Montrose!

Told by John Stewart

The Jam-Maker

There was once a chap that worked as a gardener at a big house and he was good wi berries: strawberries, raspberries, currants an everything like that. He made jam for the big house, an all-round gardener and fruit man. But he wasnae too pleased wi his bit o life an was lookin for something better. One day he was lookin in the paper an he saw an ad in it, sayin, 'Gardener and jam-maker wanted. Only genuine man need apply.' It was a foreign address, in China. "Good wages and everything provided." So he wrote away tae this address and he gets a letter back an his ticket and so much money tae come out. He wasnae married or anything like that, he was a single man, so he gave his notice in tae the place an set off. I suppose he would take maybe a sailin ship and he lands away in this foreign country, China. It gave him directions in the letter tae go tae a certain wee shop in the town. So he goes there an this auld Chinaman in the shop told him to go to this place forty or fifty miles away inland. This man volunteered tae tak him there in a horse-drawn gig an left him off at the end o this avenue an says, 'That's the house in there that ye're lookin for.'

In he goes through this gate an up tae this wee cottage. Oh it's a lovely little cottage and he knocks at the door an there's no answer. Knocks again, looks all round about. Not a thing. He tries the door an the door opens an the fire's lit an the table's set and instructions on the table just tae make hissel at home an start work right away.

Now, there was a bit o garden an a jam-makin shed, wi boilers in it. He was wantin a rest from his journey. But he started the next day. Anything that a gardener needed was there. There were bags o sugar for his jam an there was the loveliest copper boilers for makin it. He'd tae pick the fruit, put it in, an every tea-time he came in an the table was set. When he got up in the mornin, the table was set. An he started now tae wonder, for he never saw a soul, not a human being!

But anyway, he comes in this night, gets his supper an goes tae bed. All of a sudden he could feel a queer thing come owre him an the bed started tae shake an he hung on an when he lookit, he was standin ootside an there was a blue light about the size o a bicycle lamp like a will-o-the-wisp in front o him. An this voice came tae him. It says, 'Grasp the blue light.' He was runnin an he's intae bushes an he's intae ditches an he's up banks an he's hittin trees an he's widin burns till he was exhausted. He was always gettin near it an tryin tae dive on the top o it an he was always missin it. It was flickerin here an flickerin there.

When he wakens he's in bed an he's tossin about wi the pillows in the bed. He's that tired, that he makes hissel late in the mornin, gettin up. Next night, the samen thing happens. The bed starts goin an he's ootside! An this blue light's in front o him. It's here an there an every place, up the sides o fields, through ditches, up oul quarries, right across burns an he chases an chases an chases, till he comes tae this river, long flat river an the light goes across an it's on the far side. You'd actually think the blue light was tantalisin him an he dives intae the water—but it was boilin lava. It was comin out o a burnin mountain right down to the place where he was crossin an he could feel his legs startin tae melt wi the heat o the burnin lava. He gets owre tae the far side an he makes a grab but the light's away in front o him again, an when he wakens up, he's strugglin an wrastlin in bed, really pure exhausted. He takes a smoke an says, 'My God, if I don't get oot o here, I'm goin tae be found deid, I don't know what's wrong wi this place.'

But every mornin when he got up an had his breakfast, he looked at the place an it seemed tae enchant him. An he says, 'Och I'll give it another try.' The next night it starts again an he's ootside an the blue light's in front o him. He says, 'I'm no goin tae run sae fast the night. I'll walk.' So he walks after it an he half-runs after till it goes away a different road aathegither. It takes him tae a big oul ruin, like an old Chinese monastery wi big long stairs goin up an there was nae roof tae it, jist waas. He walks in there an everything's lit up an the blue light's gaun up this stairs an there's people in dozens gaun up an doon like courtiers and ladies wi nobles, wi auld-fashioned Chinese dresses. He comes intae a big room upstairs an they're dancin tae music an this blue light's gaun roon them aa an he's runnin after the light.

At the finish up, he stands in a corner, an he's weighin everything up an he sees an awfa nice girl an the music was sae good that he asks her tae dance. As soon as he starts dancin wi the girl he hears tramp! tramp! tramp! an the whole place is shudderin an aa the dancers stop an go back tae the waas an in through the door comes this great big black stallion an there was a man on it. If ever there was a Devil, he was, an the horse comes right oot in the middle o the floor an between the horse's legs, the blue light appeared. He made a race through the horse's legs at the blue light and when he wakened he was wrastlin wi the pillows, half-roads oot o the bed an aa the bed-clothes on the floor an he's lyin pantin, when he hears a knock at the door.

'Come in,' he says.

In comes three men wi livery on, flunkeys o some kind. 'Yes your majesty,' they says tae him. 'We're waitin on you.'

'What are you majestying aboot?' he says.

'Come on, your majesty,' they says. Another man walks in, wi a whole prince's regalia, aa the royal robes. 'Your majesty, we're here tae dress ye up. You're gettin married, this mornin.'

'Ye're makin a mistake, lads,' he says. 'I'm the gardener here. I'm the man that makes the jam.'

But at the finish up wi argyin an bargyin they get him tae pit this clothes on an when he was ootside, the soldiers are standin tae attention, frae the wee hoose tae this big ruin, that he'd run to the night before. Trumpets were blowin an bands playin. They take him in this carved carriage right up tae this great castle. When he comes in the girl is waitin on him, this princess an he says, 'Look here, there's some mistake been made. I'm the man fae the gardener's cottage doon the road.'

She says, 'You're the man that came here last night an grasped the blue light an broke the enchantment.' She told him everything that had happened tae him an the two o them got married an lived happily ever after.

Told by John Stewart

Auld Docherty's Ghost

Before I was married I had a caravan in Ireland, a caravan o my own, an I travelled through Ireland maself. I came tae this auld road an I saw the marks where there used tae be caravans and I pulled in there. About a hundred yards up the road there was a wee thatched hoose an I says, 'I wonder if I'll get water there. I'll go up tae the hoose an ask.' So I went up tae the hoose an rapped on the door an there was a man says, 'Come in.' So I opened the door an went in.

'Oh,' he says, 'I never saw you before.'

'Naw,' I says, 'I'm a stranger here.'

'Well,' he says, 'what dae ye want?'

'I want a bucket o water.'

'Oh my God,' he says, 'Ye'll get plenty o water here. I've one o the best wells in the country. Sit down a minute an have a talk.'

So I sat doon an he was bletherin about this an that and askin where I come from an I told him, 'I come from Scotland.'

'I was never over there,' he says, 'but I have a brother over there, stayed in Glasgow.'

'Oh,' I says, 'that's mostly Ireland, you may say, because there are an awful lot o Irish people there.'

'Oh,' he says, 'I suppose there would be.'

I got my bucket o water an I went down tae the caravan an made ma supper. I stayed there for three or four days an I always used tae visit the old man at night. I had a chat an there were three or four others used tae come down an a wumman come in an did his housework an cooked some food tae him. He was a man about eighty eight, a very old man, an he went aboot on two sticks. He was once or twice down at me. Then one night I went up an he was in bed. 'Oh,' I says, 'I'm sorry for disturbing ye.'

'Ach,' he says, 'it's all right. I've got a dose o the caul I think.'

'Where does it affect ye?' I says.

'Ma chest,' he says, 'I've an awfy cough. Sometimes I'm aaright for a couple o oors, then I cough for about ten minutes.'

'Och but,' I says, 'ye'll soon get over that.'

I went back doon tae ma bed an I heard a chap at ma door at two o'clock in the morning. This was the woman. She says, 'Auld Docherty's jist aboot passin away.'

'Oh,' I says, 'he canny be. I was up there the nicht.'

Well,' she says, 'he's very bad, onyway. I've sent for the doctor.'

The doctor come an he says, 'Oh dear! The old man's just about finished.'

'What's wrong wi him?' I says.

'Pneumonia in both lungs. I don't think he'll recover.'

So the next mornin he died an I went up tae the wake. They have wakes there an they tell stories an smoke an sing. Time rolled past an one o the boys says tae me, 'Do you want to go to the funeral?'

'I'll go,' I says.

In those days they had no cars—ye had tae walk. 'Where's he gettin buried?' I says.

'Just down in the village there,' he says. 'It's not very far.' We went tae the funeral an when we came from the graveyard he says tae me, 'Would you like tae come round tae our house? It's jist about the same distance as from the village tae your place.'

'Oh well,' I says, 'I'll go roon wi ye tae pass the time.'

I went round an I got my tea, told jokes an stories an sang songs till it come tae aboot twelve o'clock an he says, 'Well, I'll convoy ye on the road a wee bit. I've tae get up in the mornin tae ma work. I don't suppose you work.'

'Oh aye,' I says. 'I work. I get up early in the mornin too.'

So he convoyed me aboot two mile on the road. I'd only aboot a mile tae go then. 'I'll leave ye here,' he says, 'an ye can walk. A safe journey to you!'

I walkit away an I was thinkin tae masel trudgin along the road that I had tae pass the auld man's hoose. 'Aw,' I says, 'there'll be nae hairm passin the auld man's hoose. The auld man's deid noo.'

I came tae aboot fifty yards fae the hoose an I lookit an I saw the auld man standin at the gate wi his twa sticks an he was lookin straight at me!

'What'll I dae?' I says tae masel. I pulled ma cap over my eyes an I ran past the auld man right tae the caravan. It took me aboot five minutes afore I got my breath back.

Next mornin I met the auld wumman that used tae go an clean his hoose an she says, 'Well, he had a nice funeral.'

Yes,' I says, 'he had a nice funeral. Lot o people there. A thing happened tae me last night. I was passin the hoose an the auld man was standin at the gate, wi his two sticks an his cap on his heid.'

'Oh dear,' she says. 'Did he speak tae ye?'

'I didnae tak time,' I says, 'tae stand an speak tae him. I ran wi fricht!'

'Oh tut, tut!' she says. 'If ye had spoken tae him, he micht hae had somethin for ye. There might be somethin buried in the hoose or some place an he micht hae had somethin for ye.'

That's the last o ma story, a true story.

Told by John Stewart

The Beard

Once upon a time there was an old man and an old woman lived on the edge of a big forest an they had three sons. Things got so bad on their wee small croft that the family had to go away an look for work theirsels. The eldest brother says, 'I think, boys, we'll go away an look for a job for wursels an let the old folks bide here till we come back an we'll bring them some money back.'

'A good idea,' says the second brother, 'we'll do just that.'

They packed up an away they went an they traivelt many miles an it startit gettin dark. The oldest brother says, 'I think the best thing we can dae, boys, is go off the road a bit, intae the shelter o the wood an kennle a fire an put up there for the night.'

Away they went intae the wood an they kennlet a fire, had a sup o something an lay doon. Very early next mornin they wakent up an there was sic a thick mass o trees roon aboot them, they didnae ken what direction they'd come or what direction they had tae go. So they set in through this wood an traivelt on and on an the further they were goin the thicker it was gettin an they couldnae get back ontae the road again. They were that tired they couldnae go any further, so the auldest yin says, 'You sit there a minute, boys, an kennle a fire an I'll see the reek fae a distance. I'll go an see if I can find the road again.'

The ither two kennlet a fire an they're sittin an it was two hours when he finally came back. 'I don't know where the road is,' he says, 'but I came across a nice wee hut. We could pass the night there.'

When they came tae the hut, there was a table an chairs, a big bed an plenty o meat in the presses. 'There must be someb'dy bidin here.' the auldest yin says. They made theirsels a tichtener-up an they spent the night there. The oldest brother says, 'We're as well stoppin here as goin any farther. We can trap an get some skins an that'll make good money.'

The ithers says, 'We'll jist dae that.'

'Now John,' says the auldest yin. 'You're the youngest, so you can stop an watch the hut the day till we go away huntin, an hae oor supper ready when we come back.'

So John bidit in the hut an away the two went. John's cookin this big potful o meat, a big potful o tatties an a big potful o soup. He's stirrin these pots an singin away when a chap comes tae the door.

'Oh,' he says, 'that'll be the boys back, I better open the door tae them.' He opens the door an looks oot. This was a wee man just knee-high.

'Hallo,' says the wee man.

'Hallo,' says John. 'Are you the man belongin tae this hut?'

'Oh, no me,' says the wee man. 'This is no *ma* hut. But I'm very hungry. I could do wi somethin tae eat.'

'Oh,' says John, 'come away in! Plenty here for everybody!'

So the wee man came in an John fillt a big basin tae him an gien him that. Oh the wee man was away wi it in seconds.

'That was good,' he says, 'John, I could dae wi a bit more.'

'Oh,' says John, 'ye'll get some more.' John gien him the second helpin an in seconds it's away again! Says John, 'Ye can fairly eat, wee man, tae be a wee man!'

'Oh, I can eat,' he says. 'I want some more off ye.'

'Well, I'll gie ye a wee drop,' says John, 'but I've just enough left for ma brithers after that. Ye canny get ony mair.'

'Ye'd better gie me some more,' says the wee man, 'or it will be the worse for ye.'

'Ye'd better slip yersel,' says John, 'afore I gie ye a good kickin oot the door.'

'Oh ye think ye could gie *me* a kickin?' says the wee man.

'Aye,' says John, 'I think I could.' He's a big strong young man and this man's only knee-high. But he wouldnae go.

'Are ye goin tae gie me the rest o the meat that's in the pot, or am I goin tae take it oot o yer hide?'

John says, 'Ye're no gettin it.'

The wee man startit tae him an John's punchin him here an there but he's no daein onythin tae the wee man! Then the wee man startit, head down, an near endit John's life. Brak every bane in his body an he's lyin out for the count an the wee man ate everything that was lyin. John's in a corner murnin an the bluid's comin oot o him, when a chap comes tae the door again. 'Oh,' he says, 'there he's come back again! He's comin tae kill me this time!' But it was his brothers back an yin o them had a deer across his back an the ither yin had a couple o foxes. 'What happened tae ye?' says the auldest brother. 'Whit are ye doin lyin in a corner? Where's oor supper?'

'I had a good supper waitin on yese,' he says, 'an there was a wee man come tae the door an I gien him half o what was there. He nearly endit ma days an he's away wi the lot!'

'Ah,' says the second brother, 'he must hae suppit the lot an he went an fell against stanes just tae let on.'

'I'm tellin you,' says John, 'that wee man wad kill the three o us.'

'Well,' says Geordie, 'he'll need tae kill me the morn. You gae oot an hunt wi Willie an I'll wait an see what happens.'

Samen thing happened again. The second brother had these pots boilin, fu o meat an soup an back comes this wee man again. Geordie says, 'Were you here yesterday?'

'Aye,' says the wee man.

'Were you the man that ate aa oor meat?'

'Oh I never ate much,' he says. 'I just got a wee drap fae your brother.'

'An what dae ye want noo?' says Geordie.

'I want ma dinner,'

'Oh come in,' says Geordie, 'an get some dinner.'

Poor Geordie didnae ken whit was goin tae happen tae him. The wee man came in an Geordie gien him a bowl o soup an a big plate o meat an tatties. Aw just in seconds, it was away! Second helpin—away in seconds! Third helpin, seconds—away!

The wee man says, 'Gie me the rest.'

'Aw,' says Geordie, 'ye cannae have the rest.'

The wee man says, 'I'm goin tae dae the same wi ye as I did wi your brother.'

'Well,' says Geordie, 'ye managed him, but I'm a bit aulder an a bit bigger. I doot I'll gie ye a tougher faa.'

This wee man startit tae Geordie an if he was gien the younger brother a beatin, he gien Geordie a worse yin. He nearly kilt him aathegither.

The ither two came back fae huntin an Willie the aulder brother lookit an says 'Did this wee man get *you* tae?'

Geordie says, 'He's no human!'

Next day Willie says, 'I'll wait the day an see this wee man when he comes.'

Willie's left wi this big pot fu o soup, a pot o tatties, a pot o beef, lovely an tasty, when the chap comes tae the door again. Willie goes tae the door an looks. 'Oh it's you,' he says.

'Aye,' says the wee man, 'it's me.'

'You were here yesterday,' says Willie, 'an you were here the day before.'

'That's right,' the wee man says.

Willie says, 'You ate wir dinner yesterday an the day before yesterday.'

'That's right,' says the wee man, 'an I'll eat yours today, an I'm gaun tae sort ye oot tae.'

'Oh I doot, I doot,' says Willie, 'ye couldnae dae that. I'm bigger than the other two an I'm strong.'

So the wee man come in an Willie fillt a great bowl wi soup an gien him it, an a great lot o tatties an a great lump o beef. He sat doon an pit this lot doon an Willie says, 'Are ye wantin more?'

'I want some more,' says the wee man. Gien him a second issue.

'Are ye wantin more?'

More again!

He gien him an gien him till he'd gien him the lot. This wee man had a belly on him! But there was drainins left in the pot an he says, 'Gie me the rest o that!'

'Aw,' says Willie, 'Ye've had your share an your no gettin any more.'

'Well,' says the wee man, 'if your no goin tae gie me it, ye better get your jacket off an see what ye can dae!'

So the wee man started, but by good luck the ither two brothers didnae go so very far away this day an they came back early. The three o them set aboot this wee man an Willie made a grab an got a haud o his baird wi his two hands an the ither two's kickin him.

'Aw,' says the wee man, 'I've had enough! I've had enough! Let go ma baird!

'Naw,' says Willie, 'ye're no gettin away. I have ye cockled when I've got ye by the baird!'

'For ony sakes,' says the wee man, 'I'll gie ye onythin in the world if ye'll let go ma baird!'

'I'll pull it off by the root!' says Willie.

The wee man says, 'I'll gie ye gold an I'll gie ye silver, as much as ye can cairry away, an diamonds an rubies, if ye'll let go ma baird!'

'No,' says Willie, 'I'm no lettin go.'

The wee man says, 'I'll show ye where there is a castle an young ladies tae your will an jewels an diamonds, if ye'll let go ma baird!'

'No,' says Willie, 'I'm takin your baird aff!' An he rippit the beard aff an the wee man's rinnin aboot wi plooks o water hingin where the baird was. The wee man says, 'For God's sake give me ma baird back again!'

'I'm haudin on tae this baird,' says Willie, 'till ye tell me whaur aa this gold is.'

'I'll show ye where it is,' says the wee man.

Willie says, 'What aboot the baird that it's so precious?'

'Well,' says the wee man, 'that's a magic baird an wherever ye want tae go an whatever ye want tae dae, say three words tae that baird an ye land there.'

'Well, first,' says Willie, 'ye better show me where the ladies are an this castle ye've been tellin aboot.'

Away the wee man walks along this wee narra pad through this wood till he comes tae this huge beech tree wi a big hole in it.

'Noo,' says the wee man, 'that's where ye get everything ye want, doon in that tree.'

'You go doon first,' says Willie 'an I'll follae ye doon.'

The wee man went doon intae this hole, right away under the ground. The three o them follaed him an they traivelt doon this passage till it broke back oot intae a valley an there was the loveliest castle that ye ever saw in your life.

'There's the castle,' says the wee man. 'There's plenty o money an plenty o everything there, an there are ladies there too, if ye want tae go in.'

'Go ahead,' says Willie.

'I'm feart tae go in,' says the wee man.

'How are ye feart?' says Willie.

'I put them in there,' says the wee man. 'I stole them, but they have no power on me because o that baird. That's the whole secret o the thing.'

'What have I tae dae wi the baird?' asks Willie.

There's three magic words,' says the wee man. 'Three professors in ma baird, I wish I was — wherever ye want tae be!'

'Oh is that it?' says Willie. 'Well, up ye go tae the castle, till we see what's there.'

Up went the wee man an he's fair shakin wi fricht an whenever he opened the door tae the castle, there were these three young ladies an they had nae power tae come oot through the door. The three brothers went roon aa the rooms tae see what was in them an they were packit wi jewels. Willie says, 'I better fill a bag wi these jewels.'

So they filled a bag wi the gold an diamonds an each o them took one o these lassies by the hand an Willie liftit the baird an says, 'Three professors in ma baird, I wish the six of us were back hame.'

Wheech! Like a flash they were standin back home at the door o their own place. Their father lookit at them. 'Wait a minute boys,' he says. 'What's this?'

Willie telt him whit happened an how the wee man nearly endit their days an then showed them where the jewels were.

'Oh,' says the old man, 'an how did ye manage tae get back here!'

Willie telt him, 'Whatever ye says tae this baird, it happens.'

'Oh is that right?' says the auld man. 'Whit is it ye say?'

'Ye jist say,' says Willie, 'Three professors in ma baird, I wish I was in some place. Ye see?'

The auld man catches the baird an says, 'Three professors in ma baird, I wish me an ma wife was in the valley where the boys were!'

The auld man an his wife disappeared an if they went tae that valley, they're still in that valley yet!

Told by Willie MacPhee

The Cloven Hoof

There was a man who had lost his wife an he had a daughter. She was always in the house an he was always out workin on the roads. He came in one night an he says tae her, 'I never see ye gaun oot at all, Bessie.'

'No,' she says, 'I never go out.'

'Well,' he says, 'ye should go out. Go to the dance on Saturday.'

'Oh,' she says, 'I dinny want tae go out an leave you sittin here.'

'I'll go out, too,' he says, 'tae the pub.'

'Well,' she says, 'if it's a good night, I will go.'

So she's sortin her frocks to go to the dance. Saturday come on an she got hersel ready, an her father went away before her. She came out an locked the door an she's away tae the dance.

They were all dancin through each ither an she was sittin over beside the wall, an there was a man come over an says, 'Are you not dancin?'

'Well,' she says, 'I was never asked tae dance an in fact, I canny. This is the first dance ever I came to.'

'Oho,' he says, 'come on up with me an I'll show you how to dance.'

So she got up an the two o them startit tae dance roon the hall.

'I thocht ye couldnae dance,' he says.

She says, 'I'm surprised at masel dancin!'

'Well,' he says, 'ye can dance all right. You're one o the best ever I danced wi.'

The music stoppit an they sat down an got talkin away.

'Did ye come far?' he says.

'Not very far,' she says. 'Aboot a mile up the road.'

'Well,' he says, 'would there be any chance of takin you home?'

'Oh,' she says, 'I've heard that two or three times in my life. I don't like takin fellows.'

'I'll guarantee,' he says, 'nothin'll happen. I'll take you home.'

'Oh well,' she says, 'all right.'

So on their way home, they startit tae talk. He says, 'I work in America. I'm over here for a holiday. I'm an engineer. Is there a dance next Saturday?'

'Oh yes,' she says, 'there's a dance there every Saturday.'

'I'll meet you in the dance then,' he says.

'All right,' she says, an they come to the gate an he opened the gate an she went intae the house.

Next Saturday came an she went tae the dance. 'My God,' her father says, 'ye're goin tae anither dance?'

'Yes,' she says. 'I've got a boyfriend too.'

'Oh well,' he says, 'that's good.'

She went tae the dance an he was waitin for her just at the door, so they startit tae dance again an when the dance was finished he says, 'Can I take ye home?'

'All right,' she says.

As they were goin up the road, he asked her tae marry him.

'Oh,' she says, 'that's affy sudden.'

'Well,' he says, 'I'll tell ye what I'll do. You promise to marry me an I'll go over to America to work for a year an then come back.'

So she thought a while an she says, 'All right. I'll marry you in a year's time.'

As she opened the gate, he caught her by the shoulders an is goin tae kiss her, an she lookit doon an she sees the cloven fit. Ye ken whit the cloven fit is? The Devil! She ran intae the hoose an she's sittin awfy sad lookin at the fire when her father comes in.

'My God,' he says, 'whit's the matter wi ye the nicht? Was your boyfriend no there?'

'Yes,' she says, 'father, he was there right enough, but I promised to marry him in a year's time.'

'Well, there's nothin sad in that,' he says.

'Ah but,' she says, 'you don't know what kin o man he was.'

'Whit kin o a man could he be?' he says.

'He's the Devil!'

'How do you know that?'

'Well,' she says, 'I saw the cloven fit when I was shuttin the gate.'

'Oh my goodness!' he says. 'But I tell you what we'll do. We'll go down an see the minister tomorrow an tell him.'

Next mornin came an the two o them went down to the manse. They rapped on the door an the minister came out an says, 'Come on away in. What's wrong the day? This is not Sunday.'

'I know,' he says, 'but my daughter's got a problem here.' So he told him the story, about the first night goin tae the dance an the second Saturday an how when she was goin in the gate she saw the cloven fit.

'Don't let that worry you at all,' says the minister. 'When the night comes, the last night of the year, come down to me, an we'll soon fix him!'

The year rolled by to the last night. The lassie was just shakin wi fricht. She went down to the manse an the minister was standin there wi the Bible in his hand an a cross in his ither hand. 'Come away in, come away in,' he says. 'Father, you had better go home.'

'Will ye be all right, daughter?' he says.

'Oh yes,' she says. 'Wi the Reverend here, I'll be all right.'

So the father went away hame. Come twelve o'clock, the rap came tae the door.

'I've come for my girlfriend,' says the voice. 'In fact she's my wife. She was promised to me a year ago.'

'Well,' says the minister, 'if you were promised her a year ago, you put your hand in my hand, and I'll hand her out tae ye.'

But he couldnae put his hand in the holy man's hand. 'Give me my wife,' he says.

'Come in and take her then,' says the minister.

But he couldnae go intae the church!

So he jist gien a roar that made the church shake. 'Send my wife oot.'

'No,' says the minister, 'you come an take her. If ye can't take her, get back tae your own place!'

He turnit intae a ball o fire, the Devil, an he took away half o the church. The last time I was there I got a piece an jam an a drink o milk fae the lassie an she was aa right. That's the last o ma story!

Told by Alec Stewart

The Burn that Ran Wine

My granny used tae tell this story o a wee burn in one o the Glens. Travellin people long ago always camped as close as they could tae water. There was this wee burn that ran doon past a fairm hoose an there was a wee cottar hoose at the fairm. Two old sisters an a brither bade in this wee hoose. Noo poor as they were, long ago, they always kept Hogmanay Night. They did aa the hoose an they used tae lift oot the ashes fae the fireplace before twelve o'clock. An there was a wee spring well on the bank o the burn where they used tae go for water in widden buckets.

Noo everything was aa done this Hogmanay an one sister says tae the ither, 'Oh now, look! It's nearly twelve o'clock. Are you goin for water the nicht? It'll tak ye aa your time.'

'You'd better go for it,' says the ither sister, 'an I'll get the things aa ready here for twelve o'clock.'

The auld sister didnae want tae be the first fit. She wantit tae be in the hoose afore twelve o'clock. Passin along the burn tae get tae the spring well, she dippit the buckets in tae clean them. An she threw the water oot o wan o them an she lookit at the ither bucket in the clear moonlicht nicht. She got an awfy fricht! Instead o pourin the water oot, she went right back tae the cottage, because by the light o the moon, she could hae sworn it was a bucket o bluid she had. When she got back intae the hoose, they lookit at it an they smelt it, an it was the brither that came forward an liftit a cup an took it oot. He says, 'That's no water. An it's no bluid.' He took a drink o it an it was a bucket o wine! Either one minute past twelve, or the one minute before, that one wee particular burn ran wine! Noo that was spoken aboot in the Glens but nobody ever seemed tae be there at the right minute tae get it! But they'd aa heard o it!

Told by Belle Stewart

The Pearl Jug

There's a sayin aboot the Ericht, this river doon here in the toon o Blair:

The Ericht rins both bright an clear
An it claims a life for every year.

There were three drowned in the Ericht an they searched an searched for these bodies an they couldnae get them. There was an old polisman caaed MacIntosh. He came fae Glenshee an he was a hard polis on the travellin people at the berrytime. He used tae walk up tae Rattray three times a day. He was walkin up an Donald an Andy, ma brothers, were speakin tae some o the Townsleys aboot the bodies.

'Did ye get any o the bodies yet, Mr MacIntosh?'

'Aye, we got one o them in the Lade,' he says, 'but we canna get the ither twa.'

It was some kin o grapplin things they got the bodies wi.

'Man, did ye ever try a pearl jug? My God, ye'll see the least wee thing at the bottom o the river wi a pearl jug.' It had a narrow top an a wide bottom, they cut the bottom out an pit glass in an pit candle grease roon aboot it. It was used for pearl-fishin.

'I never thought o that, Donald,' says MacIntosh. 'D'ye hae yin?'

'Oh aye,' says Donald, 'we're never without them. We've got three in the hoose.'

'Could I get a len o ane fae ye?'

'Oh aye.'

I can aye mind Donald goin ben the bedroom an bringin oot the pearl jug and giein it tae MacIntosh the polis. An they hadnae it twa oors but they got the ither twa bodies! So he came back an he gien Donald hauf a croon for the len o his jug.

Noo always efter that, if anyone had been drooned, they came tae Donald an he gave that jug three or four different times an they always found the bodies. The last time they came back wi it Donald wadna take it. 'Naw,' he says, 'that wasnae made for fundin deid bodies. That jug was made for fishin pearls.'

They kept it in the polis station an I don't know whitever happened tae it. But Donald jist wadna take it back. He didnae think it was lucky.

Told by Belle Stewart

The Burkers and the Dog's Tail

My father and my two uncles were hawkin around about a district an when it came tae a certain time they had tae get a place tae lie down. The one would take one house an the next would take the next house, keepin goin like that aa the time. They sold a good few basins and tinware; my father was a good tinsmither. They came tae this farm an ma father says, 'We'll have tae get intae some o the fairms because it'll soon be time for the Burkers.'

'Oh,' says ma uncle, 'I'd forgotten aboot that, Jock!'

'We'll try the next fairm,' he says, 'because there's a better man in that; I know the fairm.'

'Aaright,' he says.

'It's aboot two mile on,' he says. 'I hope the Burkers dinnae come afore that.'

They're just near the fairm when they hear this machine comin. So they ran an they hadnae time tae go near the door an rap. They went roon the back o the stacks an they got aboot a half o a stack an they got up on top o a stack an poked a hole right away doon near the ground and made a wee hole at the side—an they're waitin!

The machine comes right in, right roon the stack an they'd twa dogs wi them. My father nudges Davie an says, 'Listen. They've twa dogs wi them.'

The dogs are goin roond an roond aboot an they got the scent o my father an they're goin tae the stack.

My father says, 'We're done now! Have ye got a knife, Davie?'

'I've got ma breid knife,' he says.

He gied him the breid knife an he made anither wee hole an he sees this dog passin an he catched it by the tail, cut the hale tail off! The dog's away skirlin owre the field, so the Burker says, 'They're away over there! Come on!' They jumpit in the machine an they ran away doon the road.

'Now,' says my faither, 'that'll keep youse quiet for a while!'

But they never came back an next mornin when they got up they went down tae the farmer. 'I heard some commotion,' he says, ''round about the steadin. Was it youse boys?'

'Aye,' says my father, 'the Burkers were after us.'

'How did ye escape?' he says.

'There's the tail o the dog,' he says, 'that I cut off.'

'My goodness gracious!' says the farmer. 'Gie me the tail. I'll notify the police. Any dog that's runnin aboot without a tail, the police'll know of it.'

So they gave him the tail an they got their breakfast there. That was one Burker story.

Told by Alec Stewart

The Burkers and the Cuddy

Now I'll tell ye a good Burker story. Doctors one time had tae have bodies an these lonely tinks an people that stayed in woods they were looked down on. Even when two or three went missin an ye went tae the police, the police wouldnae bother. My mother was a wee lassie an there was an aunt o hers caaed the Big Dummy, an ma mother's mother, big Belle Reid, six foot in her stocking feet, which many o the auld tinkers can tell ye. Ma mother's uncle Rob was wi them. Now the Big Dummy had tae be carried in a chair because she couldnae walk. An Rob had a Spanish cuddy wi seggets on it, things hingin doon owre each side o it, an his tent sticks tied on and their blankets an tins an pans, hangin owre the cuddy's sides. They were gaun up tae this wood that they kent up a kin o cart track. Rob pit up a bow tent an took the Big Dummy out an let her sit an kennlet a fire, went for water an pit the kettle prop in. He hung the can on the fire an the tea intae't. They put tea an sugar an milk when the tea was boiled an stirred it aa in the one thing, just the same as they would do in Australia oot in the bush. They made a big can o tea an fried a bit ham, because bits o ham at that time any shop wad gie ye for nothin, for it wad go bad, because there were no freezers or anythin like that.

It was gettin kin o dark when Rob kennlet the fire an the donkey was tied tae a tree. They'd a puckle hay for it, an they'd a wee dog the size o a Yorkshire terrier. Belle was standin at the fire an she looked away doon in the dark an she sees peeps o lights comin up through the wood. She says, 'There's a steejie bingin.' (There's a coach coming.)

'Where?' says Rob.

'Deek doon the road.'

They lookit an they could see the shape o the coach an a pair o horses. Noo what was a coach an a pair o horses daein up *that* way? Rob trampit oot the fire an he says, 'Gie me the wee dug!' An he took the wee dug—ma mither told us this for the truth—an in case o the wee dug barkin he took it an broke its neck an threw it owre among the bushes. He got the Big Dummy on his back an took Belle an ma mother, a wee lassie about seven or eight years old, doon the road away doon through the wood tae where there was a toll-house. The man aboot this place knew Rob as a traveller an a boy that comes aboot.

They ran an they chapped at the door o the lodge an the man came oot an Rob says, 'Could you let us in for the night? Ony place you could let us in. They're up there wi the machine an we ken it's the doctors.'

'They're here every night,' the man says, 'searchin ma wee bits o ootbuildins. I'll let youse lie in the lobby. Have ye your ain bedclothes?'

'We'd nae time tae tak bedclothes,' says Rob.

'Well,' he says, 'there's a puckle jaickets tae keep ye warm, I've got a big dog there. It'll bark if they come.'

They were in there for maybe half an oor an the coach come right doon an right up tae the toll-house. An these men wi lum hats an tippets like Dr Crippen, came ridin up on horses. The man let his dog oot. Noo the coach had a dog an the two dogs started tae fight. The man at the toll-hoose liftit his windae up an pit his gun oot an he says, 'Call off your dog or I'll shoot it.'

They wadnae dae it. They were goin tae come off an search the sheds. He says, 'Call off your dog or I'll shoot it. Now I'm givin ye warnin!'

But they wadnae an the man up wi his gun an shot the dog, an they got intae the coach an went away.

Now in the mornin the man gien them some tea an he says, 'When ye go up tae your camp noo, I think ye'll be aaright. They'll no come back the day again. But if I were you I wouldnae be here. I'd get up an get your bits o things an get out of it.'

So they traivelled back up the way they came doon an when they got up, the camp was in ribbons! Everything was kickit aboot the place an the cuddy was tied up by the two hind legs tae a branch an its stomach ripped an its puddens amang its feet!

You ask Big Willie MacPhee about that story! Every auld traveller in the North kens that story.

Told by John Stewart

The Ramshorn

There was a man working on a fairm an he'd a wee family. It was back in
the days of yore when things were very bad and farmers could hardly pay
them, unless wi meal an tatties an milk. It was comin up near Christmas an
the weans was rinnin aboot hingin up their stockings an he says, 'I wonder
what I'll do now?'

He made peeries oot o pirns for the laddies an wee bits o rockin horses
oot o timber, but the wee lassie wanted a doll. He was oot that efternoon
walkin up the neep field an he saw this neep an it was like a doll, eighteen
inches high. So he pulled the neep and screwed the shaw aff the tap o it an
cairried it hame. That night he peeled and lopped bits it an bits o claes on it
an it really did look like a doll.

The weans got up in the mornin an got their Christmas things an the wee
lassie's away wi her doll. That night when they were goin tae their beds, the
doll was lyin where the wee lassie had fallen asleep. The man lifted it up an
pit it on the mantelpiece an the doll spoke tae him.

'Mr MacPherson,' it says, 'the quicker you take me back tae that field
where you pulled me, the better. When you see things like me, when you're
walkin, never pit your hand tae them. But take me back an we'll say nae
mair aboot it.'

'I canny go oot the nicht,' he says, 'it's wind an rain. I'll be droont.'

'Ye'll hae tae tak me back the nicht!'

So the man was feart an he took the claes aff the doll an he took the neep
in his hand an walked up the road and across tae the neep field. It was all
wet an he's plungin through the neeps an whenever he came tae the place
where he had pulled the neep it just seemed tae jerk oot his hand. As he
stooped tae see if the neep was doon, he saw a wee roon stane an he just
kept it in his hand an went back tae the hoose an pit the stane on the
mantelpiece.

The next mornin his wife was up an their breakfast was a wee taste o
porridge. She says, 'Where did ye get that stane?'

'I found it in the neep field,' he says.

'Take it an throw it away,' she says. 'I don't like it at all. I've a queer
feelin every time I look at it.'

'There's naethin in a stane,' he says. But he got the stane an went ootside
an flung the stane away across the field. He went tae his work that day,
come back, an next mornin he was kinnlin the fire an when he looked for
matches on the mantelpiece, there was the stane! 'I thought you threw that
stane away?' his wife says.

'So I did,' he says. 'Some o the weans must hae found it again.' He took
it an flung it away miles intae the air. Next mornin they were up again, the

stane was back on the mantelpiece. He tried aa ways tae get rid o that stane an he couldna. He'd even go for an hour's work an fling it in the river, but it was always back on the mantelpiece.

A time comes an he forgot aboot the stane an it was in his pocket. Aboot three months after that everyone was complainin o famine comin in the country an the man says tae his wife, 'We canny stick it here. We'll pack up an we'll move.'

There were nae buses an the man didnae hae the price o a horse an cairt, so he jist packed a bundle, pit it on his back an his three weans an his wife wi him, they were off! There was plenty of rabbits in the country an pheasants. The woman would boil them wi tatties an neeps tae keep them aa goin.

They came on an on, intae a country they didnae know at aa, a wild country. He tried a few wee fairms for work, but the people were as bad as himsel. They kept on till they came tae a big river which seemes tae go intae the sea wi sand dunes. On the ither side was a wood. 'I wonder,' he says, 'what road we'll go. If we go next the sea, maybe we'll no get roon, it wad be quicksand. An if we go that way, it's a thick, thick wood. We'll maybe be eaten by wild animals.'

'We'll stay here the night,' she says, 'in this sheltery bit an gie the weans a rest.'

So the man pit his things doon an it was dry weather an she gets the tatties an looks through her meat box an finds some braxy cannles, cannles made oot o sheep fat, an she melted two or three o them an put the fatty bree throught the tatties. So they ate that night.

Next mornin, long before his wife was up, the man was doon on the beach, an he came roon the bend in this Mississippi style o river and in the marshy bit amang the reed, he saw a wee auld-fashioned kin o boat made o bark. An there was water in it. 'If I could mend that boat, it wad save me fae goin roon through that wood. We could go straight across if I could get that boat fixed.'

He pulls the boat out an roars tae his wife an weans tae get tins an jugs an empty the boat o water. The man turned it upside doon an it was like bullhide or skin that was on it. The seams were loose; that's where the water was gettin in, but the frame o the boat was solid oak. 'If I had something tae seal the seams,' he says, 'the boat wad be aa right.'

'I've nothin at aa,' she says.

'What aboot your braxy cannles?' he says.

He melted the cannles an pit the fat in a jug. He'd nae nails, but he used wee sharp bits of wood, bored holes an chappit the wood through an pit fat aa roon every bit an left it. Then he turned it up again an pushed it intae the water an it floated like a cork. He cut hisself a broad stick like an oar, he got his wife an weans an his bundle in an pushed off fae the shore an paddled oot an paddled oot till they got owre tae the other side. They pulled it oot o the water and hid it in a nice wee bit among some bushes and went walkin on, just takin their time. They saw a lot o people walkin an he says, 'They must be goin someplace. We'll follae on tae.'

He tried tae speak tae a few o them but they were a very silent mob. They're aa walkin on until they come owre the edge o a hill an there's a great big windmill gaun roon an roon. They were aa prosperous lookin people an they were given aa their jewels, money, meal an corn everything they had tae this man, wha teemed it in between these two big grindin stones an everything was ground tae dust.

'What are these peope daein?' he askit the man.

'These are the rich o the country,' he says. 'They're after nothin but prosperity an money. I'm the Devil an aa these people have tae hand aa their riches an their money tae me an I grind it up.'

'Well,' says the man, 'that's very queer.'

Then they came tae a bit o country where the rabbits an game was kinna scarce. He was walkin up this bank an through some bushes when he saw this broon hare lyin in a flap wi its ears back. He mindit o the stane in his pocket an he took it oot and flung it at the hare. He hit it an the hare lay there kickin an he lifted it an was just goin tae kill it, when it says, 'For God's sake don't kill me. I'm an enchanted prince. Just hit me wi that stone anither once or twice.' So the man did an the hare turned intae a prince. He thankit the man an he says, 'The man that did this tae me was that man at the mill, that Beelzebub. I kept back a very valuable stone, when I went tae gie him my riches an he turned me intae a hare because I did this.'

'Where's the stone now?' askit the man.

'You've got it!' he says.

'Well,' says the man, 'I found it in a neep field.'

'If ye'll gie me the stane back,' says the prince, 'I'll tell ye where tae go tae get something that'll benefit ye far more.'

'Och,' says the man, 'the stane's nae use tae me. There's the stane tae ye.' An he gien him the stane.

The prince says, 'Dae ye see yon high mountain?'

'Aye,' he says.

'If you go there,' says the prince, 'there's a mountain sheep wi a twisted, deformed horn. It'll be easy enough caught, because it's gettin old. If ye can get the horn off it ye'll live happy ever after.'

The man came back an telt his wife an she says, 'Well, the only thing ye can dae is see if we can get haud o that sheep.'

Next day they walkit through this brush an mud an up through these wee hills an they could see this higher crag o a mountain in front o them. They got as near to it as they could, then he put doon his bundle an says, 'Just you wait here an I'll climb away up an see if I can get this sheep.'

He went up an up an he looked roon the bend o the hill an my word, there was a lot o sheep! As he gets nearer he sees a big wan standin on a rock an it had a great big twisted horn. So he crawled up an crawled up right away round the back. The rest galloped away when they scented him, but this one just stood. He got round behind this high rock an grabbed it by the hind leg an pulled it owre. It fell owre the rock an he twisted the horn aff an the sheep sprung tae it's feet an it's off!

When they lookit intae this big twisted horn it was full o gold nuggets an diamonds! 'If we could get back,' says his wife, 'tae near where there's ony civilisation, we could start wursels a great business.'

They rolled the horn up carefully an went back tae where their boat was and the next day paddled over back tae where they come fae. An he's goin past this place where the big wheel's goin roon an who's standin there but the Devil!

'Have ye onything tae declare?' the Devil says.

'No,' he says. 'Didn't I pass here already an I had nothin?'

'I think you've got the magic horn,' he says, 'an you'll have tae give it up.'

But the prince was at his back an he hit the Devil with the valuable stone the man had gien him back an he just stood an the prince says, 'Hurry up, get away by him!'

They bid farewell tae the prince an walked on till they came tae a wee settlement o hooses an then they came tae a toon an the man opened a jeweller's business there, an that man was the start o Samuel's the big jeweller's!

Told by John Stewart

The Little Herdsman and the Master Bull

Once upon a time there was a king an he had three lovely daughters, Patsy, Sheila and Margaret. Now at that time, kings and queens had knights and soldiers but none of these girls would look at one o the men aroond the castle. Now Patsy was famed for her singing—she could sing like a nightingale and the very birds of the air would fall doon from the sky and sit on branches and tufts o grass and bushes listening tae her, wi the tears rinnin oot o their eyes. Sheila could knit an ye never saw a better knitter in your life. The needles seemed to go by themselves an she could make anything in the world that anyone wanted. Now Margaret wasn't so gifted, she was more solemn, but a nice intelligent girl for aa that.

One day they were sittin doon among the heather away up on the hill above the castle, when they looks down an sees this wee old man, who had one shoulder up an one shoulder doon, like a little hunchback, wi big feet an clothes all patches of red, blue and green. He had an old torn hat upon his head and a big beard an he stood just two foot high.

'Good day princesses,' he says, 'I see you're enjoying your walk an you're sittin there nicely. Now, Patsy, I know you can sing.'

'Where did you hear that?' Patsy says.

'I've ways and means o hearin,' he says. 'The birds talk about you. Sheila, you've a great gift o knittin. But Margaret missed the gifts when they were handed oot. Tomorrow bein her birthday, I'll give her a gift to make you equal.'

Margaret looked at him. 'How did you know that?'

'I know a lot,' he says. 'Far more than anybody in the land. And if you come here tomorrow at twelve o'clock, I'll tell you what I'm givin you. Now, Patsy, sing me a song while I'm walkin doon the hill, tae help me on my way.'

So Patsy liltit a song to him an aa the very birds cam doon an sat roon aboot, listenin, for ye never heard the parallile o it in your life. The three girls sat for a while crackin aboot the old man till the sun was startin tae set. 'We'll have tae go away down, now, for Dad'll be wonderin where we are.'

Down they went tae the big castle an when they had had their tea, Margaret minded she had a party the next day for her birthday. 'I'd forgotten that,' she says. 'We'll have tae postpone it in some way. I'll say I'm not well, then I'll go tae bed. If it takes a trick we can sneak oot up the brae tae where the old man said he'd meet us.'

Next mornin the king and queen says, 'Margaret you've got a birthday party today.'

'Oh,' she says, 'I'm not fit for a party today. I don't feel well at all. Could we not make it for next day?'

'Well,' they says, 'we could, but it's not natural to hold a party on the next day.'

'Oh, but I'm ill today,' says Margaret.

So they put her to bed an the other two waited an sneaked doon the passage at eleven o'clock and they aa went doon the back stairs, oot intae the courtyard an through the birch trees and up the mountain side to where they had been the day before. They didnae have long tae wait. About a quarter tae twelve they saw the wee old man come traipsin through the heather.

'Well,' he says as he comes up, 'I've come tae keep my promise tae you an give Margaret a gift. Now the gift I'll give you Margaret is this: doesnae matter what you talk to, it'll speak back tae ye. Now, don't be frightened, for ye know, everything speaks, although we dinna understand them. Birds speak together, the bees and everything that makes a sound can communicate wi one anither, like me communicatin wi you now.'

'Well, says Margaret, 'that's very nice o you.'

'Now sing me a song Patsy as I go doon the hill,' says the wee man, 'an we'll meet again sometime.'

So he's away an in a wee while the three princesses ran doon tae the bottom o the brae, through the wood an the courtyard an Margaret went upstairs tae her bed an the ither two walked in quite the thing. Next day she had her birthday party wi a the courtiers standin, thon men wi white stockins an spears tae bump on the grun. She sat at the top o the table wi a croon on her heid an there were birthday greetins an everything went fine.

The day after, the three princesses were oot in the courtyard wi their father, an he was complainin aboot a lot o the cows no giein milk. Some days he'd go oot an find one o them deid here an one deid there.

'I'm goin doon tae the byre,' Margaret says, 'I'm gonnae talk tae the wee calf an ask what's wrong. I hope it'll speak tae me.'

When she got tae the byre she says, 'Little calf, little calf!'

It says, 'Who's talkin?'

It's me,' says Margaret. 'What's wrong wi you that ye can't run aboot the same as the others? What's wrong wi the ither cattle?'

'Well,' says the little calf, 'it's a long story. I wouldn't like tae tell ye, unless I asked ma mither.'

'Oh,' says the wee girl, 'I'll ask your mother. Where is she?'

'She's over there gettin a drink o water.'

Margaret went owre an says, 'Mother Cow!'

'What is it?' says the cow.

'Why is your calf so decrepit an what's wrong wi the ithers?'

'Well,' says the cow, 'your father knew anither king who had some lovely cattle an he made a raid on his land and brought a lot o his beasts back tae his own domain. We are some o that breed an we'll never do any good because we've been taken away from the place we belong to.'

'Why not take us there,' says Margaret, 'an we'll see if we can see this other king an rectify the thing?'

'Oh,' she says, 'it's too far away. There's only one way you could do that. You'd have to go to the Master Bull o the herd.'

'How would we know him?' says Margaret.

'In the cleft o its foot,' she says, 'ye'll see a silver line. That's the Master Bull.'

'Why dae ye no just get up an go?' says Sheila.

'We can't,' says the cow, 'because your father's got an invisible fence and once we came near any place we could escape, there's a little herdsman knows right away and informs the king. He's a little man wi patched clothes. When ye go roon tae look at he bulls, ye would have tae watch that wee man didnae see ye.'

'Well,' says Margaret, 'we'll see what we can dae.'

So the three princesses cam oot o the byre. 'We never knew aboot this before,' says Sheila. 'What are we goin tae dae noo?'

'We canny go to wir father, for he wouldn't listen,' says Patsy. 'An how did that wee man come tae us?'

'He told me whatever I spoke tae wad speak back tae me,' says Margaret. 'Now he was rinnin the risk o me talkin tae the cows.'

'We'll do what the cow says,' says Sheila, 'if we can get near the bulls. How we goin tae dae that?'

'I know,' says a voice and they looked roon an—it was the wee man! 'If you go at six o'clock in the mornin when the sun's risin, an if Patsy sings a song, they'll be that interested in her singing, the ither two can go roon an look at the bull's feet. Once ye've spotted him, stick this bone clip on his ear an Margaret can talk tae him.'

At six o'clock next mornin, they were up an they came doon the stair, joukin intae doorways tae hide fae the butlers an men that were feedin the cattle an they went roon the back where the herd was lyin. Patsy sang a song that would charm the angels an the ither two went fae bull tae bull, till on the seventh yin they liftit its foot an saw the silver line an Patsy slid the bone clip on its ear.

Margaret says, 'Bull! Bull! Can ye hear me?'

It got tae its feet an pawed the ground an says, 'Who's talkin tae me at this time o the mornin?'

'It's the princess that's talkin to you,' says Margaret. 'I want ye tae tak me tae your former master. There's always been a lot o illimosity between my father's men an his men, the two clans. We'd like to talk to him tae see if we canny end it.'

'Your father would kill me,' says the Bull, 'if I did that.'

'Oh, but we'd talk to him when we came back,' says the princesses.

So he went roon an told the rest o the herd, then came back an says tae the princesses tae climb on his back. An he went sailin owre the woods like a sky yacht goin through the clouds. An he came doon in a lovely green valley where there was a great castle an thousands o cattle around it.

'Now,' he says, 'I'll wait here an you go to the castle yourselves. I don't want tae be seen here, because they've got the black art, this king an your father an the wee herdsman.'

So they went up tae this castle an when they came tae the guards they held up their spears an said 'No entrance!' Then Patsy started tae sing just like a nightingale an the spears went down an the three o them walkit in one behind the other up the steps o the castle intae the big hall. Out came the king. 'My goodness!' he says. 'What a lovely singer. Where do you come from?'

They told him an he was angry an says, 'That's the king that took my herd!'

'Oh but,' Margaret says, 'we'll bring your herd back. We don't want any more illimosity or fightin in wir land. We've got your Master Bull here.'

'How did you get near it?' he says. 'Nobody could ever go near my bulls!'

They took the king doon tae the end o the wood where the bull was an liftit its foot. 'Is that your Bull?' she says.

'Yes,' he says. 'That's my Bull.'

'Well,' says Margaret, 'if ye send two o your men back wi us they can tak your herd back.'

They climb on the bull's back an sail away an landed at their father's place. An the three princesses were just goin tae go in tae the castle tae tell their father all about it, when the wee man stopped them. 'Your father might not believe ye,' he says, 'because he's the only one that knows I'm here. I'll go in wi you an he'll know you're tellin the truth.'

So the wee man went in wi them and told him everything. The king didn't know his daughter Patsy could sing an stop the birds o the air. He had tae hear her for himsel. An he had tae see Sheila knittin aa the clothes o the day. He had tae hear the gift Margaret had tae speak tae the cattle an hae them speakin back tae her. 'Well,' he says, 'I was lookin for courtiers tae marry them tae, but it wad take a triple king tae get any o their hands in marriage. As for you,' he says tae the wee man wi the humphy back, 'you helped me along, but now I'm releasin you an the two men that came here can take the cattle back tae their rightful owner. I've had no good o them an I'll dae it for my daughters' sake. They can stay here wi me an their mother an it'll take a great king tae win any o them in marriage.'

Told by John Stewart

Geordie MacPhee

Geordie MacPhee was a piper, a tinker who travelled the road wi his wife an two wee boys. They just camped out, winter an summer. Any shelter at all from the winter time, any place tae get the boys tae school, that's where they went.

One day in the wintertime, they were comin over a hill in the north o Scotland, an it was snowin. His wife was pushin a pram, the wee boys were tired walkin an it was gettin dark. Geordie says, 'There's a place on here, an auld smiddy at the side o the road. We'll better go an shelter for the nicht. I'll get some sticks off maybe the rafters an make a fire an you get the boys somethin tae eat.'

At length they come tae the smiddy an the snaw's six or seven inches deep by this time. There were nae windaes in the smiddy just bits o bags fae somebody there afore them. They go in an the woman makes a bed o straw an they made theirsels as comfortable as they could. Geordie braks sticks off the rafters tae kennle a fire an they had their tea an some braxy ham she got in some o the farmhooses. She gien the bairns a bite tae eat an they fell asleep an she says, 'I'm awfy tired Geordie, I'm goin tae ma bed.'

'Well,' he says, 'go tae bed, wife, an I'll hae a smoke o ma pipe.'

He jist had his boots off an intae bed an he's lyin smokin an thinkin an it's snawin ootside, when he hears a scuffly noise. This was a man come in, in his stockin soles, wi nae jacket an gut galluses hangin doon at his sides. The man looks at Geordie an says, 'Ye're no feart, are ye, man?'

Geordie says, 'I'm no feart.'

'Well,' he says, 'would ye rise an follow me?'

'It's too cauld the nicht,' says Geordie, 'an I'm feelin tired. Maybe I'll follow ye some other time.'

So the man turned and went away and Geordie thought he was dreamin. In the mornin he got up but he never said anything tae his wife. He was a big wild fightin man, he wasnae feart or anything like that. His wife says, 'We'd better pack up an try an make on.'

Geordie says, 'No, I'm gonnae stay anither nicht.' So he took his pipes roon the doors o the fairmhooses, playin tae them, then came back an got his tea.

The samen thing happened the next night when his wife an bairns were sleepin. In come the man wi his galluses doon. 'Are ye feart?' he says tae Geordie.

'No, I'm no feart. I'll rise an follow ye. Where are ye gaun?'

'If *you* follow *me*,' he says, 'I'll make it worth your while.'

'Aaright,' says Geordie, 'wait till I slip ma troosers on.' He follows this man oot in the snaw, owre the wee fence at the back o the hoose an doon

owre the field till they came doon tae the seaside an the rocks. Doon they
goes tae the rocks an along the shore.

'Where are ye takin me?' says Geordie.

'There's a cave along here,' he says, 'an if ye come wi me I'll gie ye a
fortune.'

They came tae the cave an he says, 'Have you a match?'

'Aye,' says Geordie, 'I've a match. I aye keep a bit cannle in ma pocket.'
So Geordie lit the cannle an the man follaes him intae the cave. 'Dae ye see
that flagstone there?' he says. 'If ye shift that, there's a heap o gold
sovereigns, a fortune in gold. Ye're a poor man wi a wife an bairns, a tramp
on the road an ye're the only man that's risen an follaed me. Ye're a brave
man.'

So Geordie says, 'I'll try an lift the flagstone.' He pits the cannle doon an
when he looks roon, the man's away! He's toilin an diggin the earth away
when he shifts the big stane. He pit his hand gropin in an he feels the gold
sovereigns. He packs his pockets wi them an away along the shore back tae
the hoose an intae bed.

So next mornin Geordie's shavin himsel an his wife kens he's goin some
place. 'Where are ye goin?' she says.

'I'm goin tae the toon,' he says, 'tae get some messages.'

So Geordie sets off an he lands in the toon. As he was comin in he looks
owre a fence an sees a gardener takin snow off a drive an on the fence
there's a notice. Geordie couldnae read so he askit the gardener, 'What does
it say on that ticket?'

The gardener looked at him, 'It says, "Mansion for Sale",' he says.

'How much wad they be askin for that?' says Geordie.

'They'll be askin a few thousand for that,' says the man.

'Who would I see tae buy the mansion hoose?' says Geordie.

'Oh, ye'll have tae see the solicitor in the village,' he says. 'Mr Ritchie.'

So Geordie goes up the street askin everybody where Mr Ritchie was. He
had two or three drinks in the pub, then a wee boy says, 'That's Mr Ritchie
the solicitor there.'

Now Geordie wasnae very well-dressed. The toes were stickin out his
boots. The backside was oot his troosers. His jacket was in rags. The
cleanest bit aboot him was his face, for he'd washed an shaved. He goes
owre an knocks on the door an an auld, stoot man wi glasses on an house
slippers comes tae the door an looks at him.

'I've nothin the day,' he says, 'an I don't want anythin!' An he slams the
door in Geordie's face.

'That's an awfy man, that,' says Geordie. 'He widna speak civil tae
anybody!'

Geordie knocks at the door again, after a wee while, an the man comes
oot in an awfy rage. 'If ye don't go away from the door,' he says, 'I'm
going tae send for the police!'

'I want tae see ye,' Geordie says, 'aboot the big hoose for sale doon the
road.'

The man thought he was a wee bit off his nut. A tinker askin tae buy a big mansion hoose! 'Wait there,' he says, 'an I'll fetch the title deeds.' But he went doon an it was the police sergeant an the constable he fetched. 'There's the man there,' he says. 'He's been tormentin me. Get him oot o here. He's touched in the brain.' Thought he was a madman! 'Come on,' says the sergeant, 'ye'll have tae come tae the polis station. Ye've been kickin up a disturbance o the peace an we'll hae tae lock ye up till tomorrow. Ye've had a drink as well.'

'Geordie says, 'I'm here tae buy that big hoose doon there.'

'Is the big hoose for sale?' says the sergeant.

'Yes,' says the solicitor.

'Well,' he says, 'let him in an see if he really wants tae buy it.' He wantit tae get a right grip on him tae give him aboot two years in the jail. In Geordie goes an the solicitor's sittin at a table an pullin oot papers. 'Here's the title deeds an the price of the house.'

Geordie put his hand in his pocket an put about two handfuls o gold sovereigns on the table. 'There's some part payment,' he says. 'Can ye tell me how much that is?'

Of course they looked at each other an the solicitor counts the coins. 'I'll be back this time tomorrow wi the rest o the money,' says Geordie. The sergeant could do nothin about it! Away they went an left Geordie. He went an had another couple o drinks at the pub an got a big bag o messages tae take back tae his wife. That night he went doon again tae the cave an he filled a sack wi the gold sovereigns. After his breakfast, he went away tae the toon wi the bag on his back. He came intae the solicitor's an teems them oot on the table.

'Oh my word!' says the solicitor, 'I've never seen so much gold in my life. That'll be enough an ye'll hae tae put the rest in the bank.'

'Na, na,' says Geordie. 'Will you no keep it for me?'

'All right,' says the solicitor.

'You're my man,' says Geordie. 'You'll look after the house for me. Sign everything in my name. Here's some money for ye,' an he gies the solicitor a handful o gold sovereigns.

'Very good, my lord,' he says.

'What are ye sayin "my lord," fur?' says Geordie. 'It's Geordie MacPhee they cry me!'

'We'll see that we get everything put right for ye, my lord,' he says.

'Oh you an "my lord"!' says Geordie. He's marchin oot when the solicitor shouts after him, 'Oh my lord, just wait a minute.'

'What is it?' says Geordie.

'I want ye tae go tae the tailor's an get a suit o clothes made,' he says. 'You own a big hoose an ye're in filthy rags.'

'I've never had a suit o clothes in ma life,' says Geordie. So the tailor comes an he's measurin Geordie an he makes a suit an Geordie's dressed up tae the nineties!

'Now,' says Geordie, 'I want two ladies tae dress ma wife an I want a suit o claes for each o ma boys.'

'Where do they live?'

'Three miles oot at the auld smiddy. They're camped oot there an they're frozen tae death.'

'Well, the only thing we can do,' he says, 'is tae get your chauffeur tae tak ye there in the Rolls.'

'Well,' says Geordie, 'tell him tae come an get me at the boozer. He can pick me up there.'

He'd got half the pub drunk wi his gold sovereigns when the big car drew up an the chauffeur's stannin there like a soldier an salutin Geordie when he comes oot. Geordie shoves a bottle o beer intae his hand. 'No m'lord, not just now,' he says. 'I'm drivin the car.'

'What's wrang wi ye? Tak a taste oot o ma bottle,' says Geordie, an the chauffeur has tae dae it.

'Have ye got the parcels in the back?' says Geordie.

'Aye, m'lord.'

'That's fine, but dinnae cry me "M'lord." Cry me Geordie MacPhee. I used tae play the village tae mak pennies. How much wages dae you get?'

'Aboot five pounds ten an ma board,' he says.

'I'll gie ye ten pounds a week,' Geordie says. 'Dinnae you bother yersel wi money. I've got plenty o money.' They drive back tae the big hoose first an get two or three servants tae dress his wife an boys. Geordie's singin by this time an gettin well on in the beer.

When they come tae the smiddy, his wife came oot an she cries, 'Here's the bien coul comin' (that's what they caa a gentleman), 'an ye're goin tae get the stardie, ye're goin tae get the jail for breakin the hedges an bushes.'

Geordie steps oot an says, 'Are ye ready, Mag?'

'Ooh,' she says, 'is that *you* Geordie?'

'Aye, it's me,' he says. 'Here's the weemen. They're goin tae dress ye wi new claes.'

So they dressed her up tae the nineties wi a big hat wi a feather an the wee boys wi knickybockers an the two men were helpin her intae the car, 'Geordie! Geordie!' she cries. 'Two shan gadgies!'

'Be quaite woman!' he says. 'The men's aa right. they're no shan gadgies.'

She fell intae the Rolls Royce an the boys sat on her knee an they're sayin, 'Oh the barrie motor ged!' They're lookin at the chauffeur. 'Is it hard tae drive a motor, gadgie?'

'Let the man a-be,' says Geordie. 'Dae ye want the man tae crash the motor intae a dyke or something?' An he's drunk an he's singin!

Back they comes tae the big hoose an the whole staff's lined up ootside the big door. 'What's aa the folk daein standin there?' asks Geordie.

'Oh,' says the chauffeur, 'they're lined up for tae meet ye, my lord.'

'Dinna cry me, "M'lord",' says Geordie. 'I'm Geordie MacPhee.'

Geordie's lookin at the staff. 'What wages dae ye get?' he says. Some was gettin four pounds, some five, some ten, but he riz them double. An he had the place in an uproar!

Next day was market day an the chauffeur says, 'I'll drive ye doon the road if ye go doon for anything.'

'Na!' says Geordie. 'Me an ma wife an the two laddies are goin tae walk doon.'

The tailor-made suit made the day before was in rags, he got hissel drunk at the market an he's all the men drunk that were dealin in horses. Some o the horses wasnae worth a ha'penny. Some o them had only two legs on them. Before Geordie was finished they were handin the horses tae each ither for nothin, they were that drunk! Geordie was giein them a good treat! Then they startit fightin an the police sergeant was goin tae lift them for disturbin the place, but Geordie says, 'Where are ye takin these men?'

'We're takin them tae the jail till the mornin till they sober up,' says the sergeant.

'Just leave them ALANE,' says Geordie.

'Yes, m'Lord.'

So the police had tae let them away. Now it was gettin late an some o them couldnae make it home that night. So Geordie went an bought tents an blankets an covers an up they went tae the estate an campit on the front lawn where the gairdens an flooers were. Before ye could say Jack Robertson, there were aboot a hundred fires burnin. Some o them's puttin on kettles, some o them's playin their pipes an the laddies wi dogs is after rabbits, breakin aa the bushes an makin an awfy mess o the place. An Geordie's ruinin himsel handin oot money tae Tom, Dick an Harry, an the gold sovereigns is beginnin tae run low, the solicitor tells him.

Next day a big car comes up tae the door an here was the auld laird fae London an his lady. 'My word,' says the lady, 'what a terrible mess the house is in! We've come tae meet the new laird.'

Old Mag meets the lady at the door an says, 'Are ye for a cup o tea wumman? Come in an I'll get ye a bit braxy an a tattie.' An she's pullin the lady by the shoulder tae get a cup o tea.

'Are ye for a drink, man?' says Geordie, 'Here!' An he hands him a bottle o VP for he was gettin skint!

'What a terrible woman!' says the lady.

'This is disgraceful!' says the auld laird. 'I'm goin away!'

'Aaright!' says Geordie, 'an dinna come back!'

But at the finish up, Geordie wasnae able to pay his staff and he couldnae keep things goin, his money's rin oot.

'No wonder!' says the solicitor. 'Look at the bills! ye've even bought motor cars for these tinkers. Now half o them's away wi more money in their pockets than you're left wi.'

'What's the best thing to do?' says Geordie.

'The best thing is to sell your estate.' So Geordie selt the estate an went back on the road. He's still campin in the barracades today, away up the side o Dunkeld there. He's the happiest man that was ever playin his pipes an goin roon the doors tae make a livin!

Collected by Hamish Henderson. Told by Andrew Stewart

The Old Fisherman and the Devil

Once upon a time there was an old fisherman and his wife and they lived in a wee village. All the people depended on what they fished for in the river. But it comes a terrible dry season an try as he could, he couldna get one fish oot o this pool. It seemed to be just dried up. Every day this happened; not a fish could he get.

So he came hame tae his auld wife and said, 'We're finished. We're just starvin tae death! I tell ye what we'll dae. I'll go doon the morn again an try for the last time. You promise me, that you'll take your own life, if I'm not back by a certain time.'

'Oh,' she says, 'that wad be an affa hard thing tae dae! I couldnae dae that! I'd hae tae wait God's time.'

'Naw,' he says, 'ye'll hae tae gie me your promise.'

'But hoo wad I dae that?'

'Ye could hang yersel,' he says.

'Hoo wad I reach up tae the cupples?'

'Well,' he says, 'pit the chair on top o the table.' So they went an tried the thing oot afore he went away. 'Noo,' he says, 'I'll kill masel doon at the water. If I'm no back by half past eleven, ye'll ken I'm no comin.'

Noo he's doon tae the river an he's castin his net intae the water an drawin it oot jist as usual—nothing! So he sat doon an threw off his bunnet at the side o the burn an he's sittin in despair wi his hand alow his heid. Then he saw a gentleman comin walkin up·the side of the river, affa weel-dressed, wi a walkin stick in his hand.

'Not a bad day, fisherman,' he says.

'No, it's a good enough day,' says the fisherman, 'but I'd like mair rain. I've fished an fished for weeks an I haven't got one fish.' An he telt him hoo he an his wife were tae kill theirsels. 'I couldnae look at her deein o hunger, an she couldnae look at me.'

'Well,' says the gentleman, 'I'll make a bargain wi ye. If you gie me your first-born son, I'll try an help ye.'

The old fisherman looked at him. 'Good God!' he says tae hissel, 'that man must be aff his heid! Hoo could I gie him ma first born son an my wife echty three?' So he says, 'Hoo could you help me?'

'Gie me your promise first,' he says.

The old man thocht tae hissel it would dae nae hairm for his wife couldnae hae a bairn at echty three, so he gied him his promise.

'Noo,' says the gentleman, 'throw your net intae the pool!'

'I've been daein that for weeks, man. There's not a thing in that pool!' says the fisherman. But he pits his net in an tries an by heavens! he'd tae get this man tae help him tae pull it oot—it was just packed wi fish!

The old man couldnae believe it. 'Come on,' says the gentleman, 'dae the same again!'

In goes the net an it comes oot the same way again. 'I'll never manage tae cairry aa this fish masel!' he says.

'Noo,' says the gentleman, 'there's something else. Don't give oot ony o this fish withoot guttin them yersel.'

The old man was desperate tae get hame afore his auld wife had her life tane. He's away wi the twa creels on his back an he's fair pechin up the brae, jist as she went tae the door tae tak a last look doon the road.

'Thank God, ye're hame!' she says.

'Aye, I'm hame,' he says, 'but ye'll hae tae come doon tae the burn tae gie me a hand. I'll never manage tae cairry them aa up.'

They're awa doon an there were a lot o the men o the village fillin their creels and cairryin them back, but he mindit that he had tae gut them aa. 'Ye cannae get them like that. Ye'll need tae bring them tae my hoose so that I can gut them.'

They sat doon an they startit tae gut them an when they tane the first heid aff the fish, instead o gut it was pearls, diamonds and rubies that were comin oot. They got the fill o a great, big kist o these valuable stones.

They went away after that an built anither hoose on the opposite bank o the river. They were gettin on affa weel noo. Time wore on an the auld man thinks his wife is lookin kind o queer and the auld woman hersel is gettin kind o feart o hersel. Tae cut a long story short, the auld woman took seik an she had a lovely baby boy, aboot nine pounds! A woman o that age! Of coorse she was delighted an the auld man forgot aa aboot his promise, he's sae prood o the bairn. But it comes tae this year an a day when he had tae meet this gentleman again. So the fisherman rowed across tae the side o the pool an he's walkin on the bank. 'Ach', he says, 'thon man'll never come back.' He was just on the point o goin back when he saw this man comin, dressed as he was afore, walkin stick an aa.

'Well,' he says, 'I've come aboot that promise ye made tae me. It *is* a boy isn't it?'

'Aye,' says the auld man, 'it's a laddie aa right.'

'Well,' he says, 'I'll come back when he's twenty years old an I *must* get him then.'

'Ach,' thocht the auld fisherman, 'that man'll no live twenty years an I'll no live twenty years either, nor will my wife. Ach, it'll be aa right. So he says tae the gentleman, 'That'll be aa right.'

Time wore on an the laddie was growin up an when he come fourteen, he went tae college. He wantit tae be a minister, this laddie an he bocht as mony books an he was always studyin religion tae himsel. When he cam hame fae college he was aye up in his wee room at his books an his Bibles an his prayers. He was affy holy. Then it come tae his twentieth year an the auld man had forgotten aboot it. He's lookin doon the river an he saw the gentleman comin. 'Oh Good Lord!' he says. 'There he is. How in the world am I goin tae tell ma wife?'

The gentleman came up an asked how he was gettin on an how the laddie was.

'Oh, he's grown up, a nice young man, busy wi his learnin. But, man, I never thocht on tellin ma wife.'

'Oh well,' he says, 'ye'll need tae tell her.'

'Well, will ye gie me an oor?'

'I'll gie ye an oor,' he says, 'but nae langer, mind ye.'

He's away owre tae the hoose an he couldnae eat his denner an the auld woman says, 'Are ye no feelin well?'

He didna ken hoo tae brek it. Finally he says, 'Jean, if the laddie was tae go awa for a while wad ye miss him an affa lot?'

'Miss him?' she says, 'I'd go aff ma heid.'

'But he's a young man,' he says. 'He cannae aye bide wi us in this wee lonely place.'

'Cannae help it,' she says. 'I'd never let my laddie go awa.'

He was fair bate noo, he doesnae ken what tae dae. So he took the laddie ootside the door an he says, 'I might as weel tell ye the whole thing.'

The laddie went intae the hoose an he says tae his mother, 'There's no much for me here,' he says, 'so I got in touch wi a man an he promised tae meet me here today an gie me a good job. I might be awa for six months or a year.'

Of course she broke doon an she says, 'When ye gaun awa?'

'Jist onytime,' he says. 'I'll go upstairs an pack my things.' He had his things aa packed an was ready tae go tae the boat wi his father when he mindit. 'Just a minute, father,' he says. 'I forgot my Bible an ma wee stool that ma mither gien me. I'd like tae tak them wi me.'

The laddie got his stool, an his Bible an he's away across tae the ither side afore this man pit in an appearance.

This gentleman comes strolling up the bank an he says tae the auld man, 'Is this the laddie?'

'Aye,' he says, 'that's him.'

'He's a nice young man.'

'Aye,' says the father, 'wad ye not change your mind?'

'Oh no,' he says, 'I'm not changin my mind. You made the promise an you have tae keep it!'

So the laddie took his case oot o the boat an he opened his Bible on top o the stool. 'Ye wouldnae surely stop me fae opening ma book an sayin a few words tae ma father afore I ging awa?' he says.

'Oh no,' says the gentleman, for he didnae ken what kind o book it was. So the laddie opened the Bible an he startit tae pray, an there was an affa flash an this gentleman went away in a ball o fire! Ye'll ken wha the man was! It was the Auld Man himsel! He couldnae thole tae hear the prayer.

Told by Belle Stewart

Mistress Bumbee

In this auld foggy dyke, there was a Mistress Bumbee steyed an her three weans an oh! she'd a lovely wee hoose wi a fire kennlet in it, glitterin enow, as bonnie a wee hoose as ye could wish. Well up off the ground it was, an the fog kept it nice an warm.

She would go oot an gaither meat fur her weans an they wad be rinnin roon the flair an dancin an cairryin on, waitin on their mither comin hame. An when she cam in, she wad pit her things away an boil the kettle for them. One day she says, 'Noo I'll no be lang. I'm away doon the glen. Hae the kettle boilin for me when I come back.'

So she comes oot and she 'Bzzzzzzzz bummmmmmmmm!' here an she's gaitherin this an gaitherin that, till she comes tae the fit o the glen an oh boy! It comes on a thunderstorm an the rain was lashin doon an she got that wet she was 'Bummmm—' an faain. 'Bummmm—' an faain, loadit wi what she'd been gaitherin. She got aneth a leaf tae dry herself, but na! the rain was owre heavy.

'If I could get tae the King o the Pishmools,' she says, 'I'd maybe get a hot drink fae him an a place tae dry masel oot afore I got hame.'

So she buzzes an bums an crawls an creeps but her wings are that wet, she canna rise. Down she goes aneth these big chestnut trees an there was the King o the Pishmools' castle. It was a big heap o mools! She goes up tae the door an knocks an oot the pishmool butlers came an asked what she wanted.

'Away in an ask the King,' she says, 'wad he let me in tae dry masel. It come on a thunderstorm as ye see an I canna get hame. My wings are wet an I wad like if he wad let me in an gie me something warm tae drink an get masel dried.'

So the butler pishmools go in an they're awa two-three minutes an oot they come an say, 'No, he won't let you in at aa. Ye'll have tae manage. He told us tae tell ye, "Where ye got your summer's honey, go an get your winter quarters."'

'Aw haw,' says the Bumbee, 'is that the wey o't? There's nae use me sittin here dependin on him, the big-baggit pishmool that he is!'

So she bums an bums an gin she come oot o the trees, the sun startit tae shine an she jumped up on an auld flat stane an buzzed aboot till her wings were dry an she 'Bzzzzzzzz bummmmmmmmmmmed' away hame. She came in an the weans had the kettle boilin an the fire was liftin lovely an bright inside her wee hoose. She gies the weans their meat an she's tellin them aboot this auld fat-baggit pishmool that wadna gie her a thing. 'I could hae been gotten deid, she says, 'but I'll mind o him. There's a lang road that has no turnin.'

Aboot a week after that, it was a lovely mornin, but it started the samen rain an thunder again an mist, an there was a knock at the Bumbee's door in the dyke. A wee lassie bumbee went oot an she came in an says, 'It's two pishmools at the door.'

'Wait an I'll get thae pishmools,' she says. She went oot an they says, 'Oh the King was oot on the hill shootin the day an the mist came doon an he's lost half his shootin party. He wants tae see if ye would let him in tae get something tae eat an drink before he goes home.'

'Aye,' she says, 'where is he?'

The big-baggit pishmool cam owre tae the door.

'Just wait there a minute,' she says. She went inside an there was a kettle boilin on the fire an she just took it oot an poured it on top o the pishmool. Aw, the screams an the roars o him an the strips o skin were comin aff him an blisters! Noo they had tae cairt him awa hame an the word goes roon aa the birds an insects aboot the King o the Pishmools bein burned an lyin expected for death.

The Bumbee buzzes doon tae him an says, 'Do you mind when ye telt me where I got my summer's honey tae go an get my winter quarters? Well ye've got it noo for sayin that! I've got a dry hoose although it may not be as big as yours. When I'm fine an dry inside, your place is drooned wi draps aff the trees. That's my word tae ye!'

Away she comes an the next day she was oot wi her weans on top o the foggy dyke lookin doon at the King o the Pishmools gettin buried. They dug his grave an shoved him intae't an covered him wi leaves an happed him owre. An the Bumbee an her weans lived in that dyke, happy ever after.

Told by John Stewart

The Three Fittit Pot

Once upon a time there was a traveller man an a traveller woman. They had naethin in the world. But he was a peaceful livin man, he never did any harm, never was in jail, he jist lived tae traivel roon the countryside wi his wife an two weans. He could make baskets an tin, play the pipes, sing songs an he was a great man for throwin the stane an playin quoits, a great sportsman. An it was a hard time wi them.

They're traivellin away up this back glen an they hadnae as much as wad make tea tae theirsels an the weans were gaspin wi the hunger. He made twa baskets wi green wands—he never peeled them— an he says tae his wife, 'If ye can sell thae twa baskets, we could maybe get somethin. God knows whether there's a shop.'

'Well,' she says, 'I'll try my best.' They came up this road an there was a bit o a fairm. 'Try,' he says, 'if there's a man at aa, an ask him if he's a bit o tobacco. I'm dyin for a smoke!'

The woman goes tae the fairm an raps at the door an oot comes this big tall woman. 'What dae ye want?' she says.

'I've twa wee weans doon there,' says the traveller woman, 'an ma man. We're dyin o starvation.'

'Oh dear,' says the woman. 'That's no sae guid. What's that ye've got there?'

'That's two baskets, mistress, says the traveller woman.

'That's the very thing I was needin tae gaither ma eggs. Come away in an I'll gie ye somethin for the weans an yersel.' She took her intae the kitchen o the fairm an it was spotless an beautiful. She gien her tea an sugar, milk an scones an meal, a puckle o flooer an a big lump o ham. 'If ye wait till ma man comes in, I'll gie ye a puckle tatties.'

'Oh,' says the traveller woman, 'that's fine. I'll tell ye wan thing. Ma man's never had a smoke for days an he's dyin for a smoke.'

'Oh,' says the woman, 'I'll gie ye a smoke.' An she went intae a caddy on the mantelpiece an gien the woman a lump o tobacco.

'Aw, thanks very much, ma'am,' says the traveller woman.

'Where are ye gaun tonight?' asks the farmer woman.

'Oh we'll go up the glen an maybe get a place tae stop.' she says. 'If ye go up there,' says the farmer woman, 'there's an auld wastins that was wan o the plooman's hooses an it tumblet doon. Ye'll get strae for your bed an ye can bide there as long as ye like.'

'Thanks very much,' says the woman. She went doon the road an telt her man this an they went up an found this wastins an pit up their tent. 'What a beautiful place for the tent,' he says, 'wi clean water an everything running by there.'

'Now,' says the woman, 'we've nae dishes. If I had ony kind o pot I could boil thae tatties.'

'Aye,' he says, 'that's richt.' An he's away roon the auld hoose an the cupboards were still there belonging tae the folk an there was naethin in them till he came tae wan an there was a three fittit pot in it, beautiful an clean, jist like a shillin inside.

'That's the very thing,' she says, an she took it tae the burn an scourt it clean wi a sod. Then she boiled the tatties in it. 'Thank God for that pot,' she says, 'a thing I was needin aa ma days.' She washed it clean an pit it upside doon on top o their barra an they went tae their beds.

They were lyin in their bed maybe a couple o oors, when they heard a rummle ootside. She says, 'Hey, man hey!'

'Whit is it?' he says.

'There's somethin oot there tryin tae steal ma pot.'

'Awa,' he says, 'Ye're mad! Wha wad come trailin up the glen tae steal *your* pot?'

They fell soun asleep again. The pot got off the barra, away up the road tae the big hoose! Next day there was goin tae be a big shoot an the chef was makin a dinner for aa these gillies an things, wi partridges, pheasants an hens an this great inorjurous roast. The pot goes intae the kitchen where the chef was workin. 'I wonder,' he says, 'where I could put this roasted leg o mutton?' He looks an he sees the pot an he says, 'The very thing!' He pits the leg o mutton intae't an away tae his bed. Doon the pot came tae the road an tae where the barra was. Next day when she got up the woman lookit for her pot. 'Aw,' she says, 'hey, man! Come here tae ye see whit's in the pot!' This was the roasted leg o mutton. 'Maybe the wumman of the fairm took pity on us an cam doon an left this for the weans.'

'Oh,' he says, 'that's what it must hae been.'

That nicht, the woman boiled mair tatties in her pot an they ate them tae the leg o mutton. Then she washed the pot again an put it on top o the barra an they went tae their bed again.

They're just sleepin when the pot goes off on its three legs an makes for the castle. It goes in the back door an up a lobby tae where the oul gentleman o the castle is sittin at a table countin his money. Sovereigns an half-sovereigns an gold trinkets! He's lookin for a place tae pit them in when he'd counted them an he sees the pot. 'Aw, just a fine thing,' he says, 'tae haud ma money.' An he's in wi the sovereigns intae the pot an he rises tae go away for something else an the pot struggles oot the door an back tae the tent.

When the man an wumman got up in the mornin an the man went tae the pot tae look at it, he nearly faintit! He gien a roar an held his hairt. 'Jeannie, come here tae ye see this! We're quoddit, we're quoddit!'

'What is it, Jack?' she says.

'The pot's hauf full o lour!'

They endit up arguin aboot whaur the money had come fae. They waitit but naebody came, so he took a big cloot an emptied the sovereigns oot, tied them in the cloot an left them in the bottom o the barra an pit a puckle strae on top o't.

'We'll wait for a day to see if anybody comes an if they speak aboot it I'll show them where it is an tell them I pit it in there for safety.'

They waitit aa day but naebody came. That nicht they went tae bed an they were lyin. 'Hey man,' she says, 'rise an look at the pot.'

'The pot's there!' he says.

'Jist rise an take wan look at it!'

'Awa!' he says. 'I'm mad wi you an your pot! God hear my prayer. I wish ye'd never seen that pot. I hope someone taks that pot awa fae ye tae I get peace!'

The next day when they got up the pot wasnae tae be seen! It was away!

'There, noo,' she says, 'I telt ye there was somebody knockin aboot this camp. Ma wee pot's away an I wadnae hae lost that wee pot for ony money!'

But they never saw that pot again. Next day they went awa doon the glen wi their wee barra an this cloot fu o gold soverigns. Whatever happened tae them I dinna ken, but I never met them since. I could dae wi meetin them tae get a shillin or twa off them!

Told by Willie MacPhee

The Black Dog o the Stewarts

My father, John Stewart was comin hame on a clear moonlight night in Aberdeenshire once, an there was a wee fence, wi a rickle o a wall an when he was walkin alang his hand wad be aboot the height o the palin an this big black dog jumpit right up on the top o the fence, went through the fence an it was that close tae ma faither that he says, 'tch, tch, tch, c'here, c'here,' an his hand went right through it. Now my father has telt us that often an ma father's dead. I wouldnae lie about that.

Once when we were in Ireland, Alec and I had a dog and that dog would hae fought wi the Devil or any other dog, but he was a good hunter. Alec had a big dog he called Fey an he wad race. Now we were oot in the moonlight poachin. In Ireland there's nae poachin laws. Ye can wander anyplace so long as ye're nae daein damage, an hunt and poach as ye want. We were in this field an there were clumps o whins an the moon was that bright an the frost that glittery, ye could see for miles. Wir dogs were scentin something, were hot on a trail roon aboot us, an they were goin an we were watchin them, an just like that, there was a big, black retriever dog wi curls roon it an ye could actually see the moonlight through the curls. I could see a glitter o a belt at its neck an it was standin stiff as a poker. Now oor dogs was scentin back an forrit, roon aboot an up an doon, an never noticed that dog! Now something made us run, we thought it was the gamekeeper, an we ran ontae the road. An it was after we were away an we were thinkin aboot it, we wunnert how did our dogs no growl at it, how did our dogs no pay attention tae it? Then it came tae oor minds aboot that dog that follows the Stewarts. It doesnae signify anything tae me bar—maybe they selt their soul tae the Devil or something like that, years an years ago. But my father telt us, a dog follows the Stewarts an they're supposed tae see it three times.

There was another time I saw a dog. That was between Kirriemuir an Forfar, that way gaun doon. There used tae be a railway crossin there, before the people were killed. As you passed that, there were two buildings on the right-hand side an you go round the corner an away on there, then down a long hill. I was comin back up that hill wan day, through the day, an this dog came right oot o the road an its seemed tae get right in front o the car. I never felt onything an I lookit back—there was nothin!

Told by John Stewart

127

A Ghost in Skye

My mother went tae Skye an she stayed away doon by the shore at a time when the travellers stayed in caves an used boats tae go round the coast. My mother went oot hawkin an she walked an walked till it was comin on grey at night. She says, 'I'll turn back an I know where there's a near-cut owre the moor.' She spoke tae two roadmen workin at the side o the road, an one o them says, 'Aye, there's a near-cut but ye sometimes cannae see the path an ye might wander off it. It wouldnae be a nice place tae wander off across that moss.'

She says, 'Och I'll chance it onyway. It's nearer than goin back the road I came.'

So she went on this road like a bridle-path an she's walkin an walkin till she comes tae an auld wallsteads wi nae roof on it an just a chimney at each end. Outside the door there was a big tall rock an leanin against it was a young man wi his back against it an his face lookin the ither way. 'It's a fine night,' says my mother.

'It's a nice night, missis,' he says.

'That'll be an auld buildin,' she says. My mother was very fond o auld-fashioned things like auld castles.

'It's an auld buildin all right,' he says. 'It used tae be a miner stayed in there.'

'I never thought there'd be miners here,' says my mother.

'It wasn't coal or anything like that,' he says. 'It was silver they used tae mine for here. It was an auld man that run the mine about three or four hundred yards over the back there. The mine workins were gettin heavy for him an he took a partner, a young man. Now the auld man was mairrit tae a young woman an one day the auld man came up for a drink o water an he looked through the window as he was gaein tae the door an he saw the young man kissin his wife. He never said anything but went back doon the mine an set an explosive charge an timin wire on it, a fuse. He came runnin up an burst in the door an says, 'I've discovered riches! A new vein! Tons o silver! We're rich! We're rich!' The boy grabbed his cap an rin oot the door an just when he went intae the mine the blast went off.'

'Was he killed?' asked my mother.

'No,' he says, 'he wasn't. He was able tae crawl back to the door there just as the old man had cut his wife's throat an he hung her above the door there. The young chap crawled back tae the door there an he died.'

'He must have been sore hurt,' says my mother.

'Aye,' says the young man, 'the whole side o his face was blown clean off. Just like that!' An he turned tae ma mother an there was no face on him. It was the ghost she had been speakin to!

Told by John Stewart

The Ghost at the Kiln

My mother an some o her family were comin owre a hill in the north o Scotland an they were makin for this kiln. If it was rainin you could go in a kiln an make your bed; ye didnae need tae put up a tent. This kiln was situated on top o a big precipice an ye could walk out an look owre the gorge where the river went doon. It rushed doon the fit o the brae past a wee hoose.

They had their beds doon an were efter their tea an sittin smokin an crackin when a young man appeared at the mooth o the kiln an his hair was aa wet. His clothes were soakin wet an looked an laughed an nodded tae every one o them an then threw hissel right owre the cliff!

My mother was only a wee lassie at the time an she was feart an so were the rest. When they shifted next mornin they were goin doon past the wee hoose. They knew the woman in the hoose an if they didnae make tea in the mornin they generally went tae this woman tae get hot water. My mother went in wi her mother an this woman says, 'Oh hello Belle!' for she knew them all by name. 'Where were ye last night?'

'We were up at the auld kiln. We got a fricht there last night.'

'What was it?'

My granny telt her aboot the man at the mooth o the kiln an him all wet an him noddin tae them an laughin tae them an how he threw hissel owre intae the gorge.

'Oh,' she says, 'that's nothin tae worry aboot. That's my daughter's fiance. He was drooned, ye see. Often when my daughter's combin her hair in the room there, he'll come an look intae the windae an smile an nod tae her. He wouldnae hurt ye, Belle!'

Told by John Stewart

The Little Tailor

There was once a fisherman an woman an they had two sons. Their only means of living was the fishing. Now the younger laddie was an object, he was handicapped. But he was awfy fond o gettin a sail in his father's boat, just along the harbour a bit. He grew up till he was a young man but he never did have the full use o his body or his legs. He kept harpin on at his father, 'For God's sake, take me oot some day wi ye, when ye're fishin, you an ma brother.'

'I canna take ye,' he says. 'What if a storm come up?'

'Och,' he says, 'that'll no hurt me!'

However one day they had a very good catch an it was a bonnie nicht in the gloamin an he finally got his father persuadit tae take him oot in the boat. But when they got so far out on the water, his father was seein the fish jump in the water an he says, 'My God, I could still have a fairly good catch again the nicht.' So he kept goin further oot an further oot an the young lad's enjoyin it. He was a teenager, but as regards his abilities, he was just a wee laddie. The father startit fishin an a terrible gale sprang up an the old boat began tae leak an the water was comin in. The water was ragin an howlin an the man telt his son tae sit in the bottom o the boat an gave him a tin tae try an bail oot some o the water. Then there was a huge gust o wind an the old man was thrown overboard an drooned. They never even got his body.

Now this wee object laddie's sittin in the boat an it's fillin up wi water an fillin up wi water. An it was an awfy cauld night. But the wind ceased as quick as it came on. Now back hame the mother an the elder brother an the rest o the people o the island got very, very worried aboot the gale an the faither an the wee laddie oot in the water. 'Something must hae happened,' they said, 'or he he would definitely hae come hame wi the bairn.' They went tae the waterside tae see what had happened an they finally saw the boat away oot on the water. An as it was drawin nearer they knew that something was wrong because the old man wasnae there. The wee boy had sat sae long in this water that was comin through, aa huddled up an frozen stiff, that he never, ever could walk after that.

One night the aulder brother come hame fae the pub, an he said, 'You lead an awfy lonely life. How dae ye no come along tae the pub wi us some night? Ye needna drink, just come along an meet the folk.'

'Oh,' he says, 'I couldnae go intae the pub. I canny even walk.'

'Dinny let that worry ye,' he says, 'I'll take ye doon the next night I'm goin.'

So he took the laddie doon tae the pub an the laddie's fair enjoyin it for there was singing an they were playin dominoes an aa the usual things that go on.

Then in came two gentlemen farmers, no like the ones that work in the field. These were the ones that produce the money an the poor man kills hissel for it. One o them was a great horse-racin man. An they were talkin aboot their horses an which one would win. Then one o them said tae the other. 'If there's a man in this bar, that'll go an sit in the graveyaird aa night, I'll give him five pounds and a bottle o whisky.'

The other man says, 'What's the graveyaird tae dae wi horse-racin?'

'Nothin,' he says, 'but it would be a good bet. There's some folk have tae pass the graveyaird on the way home an I wouldnae pass it. I wad go roon it, for there's definitely something wrong there.'

So the wee object laddie caaed for his brother tae carry him owre tae the bar and he says, 'I'll go tae the graveyaird an bide in it aa night, if ye gie me five pound. I'm no wantin your bottle o whisky.'

'Oh just tak the whisky tae,' says his brother, 'because I can aye drink it.'

Noo they caaed the laddie the wee tailor because bein handicapped but havin the use o his hands he got a wee job sewin. 'I canny go without a web o cloth tae make a suit of clothes.'

'Oh,' says the alehoose keeper, 'I think I've a bit cloth the wife bocht. If there's enough tae make me a suit, I'll get ye the stuff.'

He got the cloth an they put him in a horse an cairt an they took him oot tae the graveyaird. They looked till they got a flat tombstone an sat him on that. 'Noo,' he says, 'gie me ma cloth an ma needles an threid an ma shears. I'm quite comfortable as long as I have ma sewing.'

They were aa away an he was left, an he wasnae very long sittin when he looked at the next grave an he saw the earth movin on it, an a hand came up!

'Do you see that hand withoot any flesh an blood on it?' it says.

'Aye, I see that,' he says, 'but I'll cairry on wi this meantime.'

An he's sewing away! Then the hand came oot up tae the elbow an again it said, 'Do you see that, wi no flesh an blood on it?'

'Aye, I see that,' he says, 'but I'll just cairry on wi this meantime.'

Then the head an shoulders came oot. 'Dae ye see that wi nae flesh an blood on it?'

'Oh aye, I see that, but I'll just cairry on wi this meantime.'

The wee tailor was gettin a bit scared noo, when he saw the whole body. It was very, very tall. It kept comin oot the grave an it says, 'Dae ye see—?' but this time the wee tailor didnae give him time tae say what he had tae say. He rolled off the tombstone an this corpse or remains made tae hit him where he had been sittin. Its hand went right intae the tombstone an the mark of it's there tae this day.

The wee tailor got up an he's away down the half-mile tae the alehoose where he had made the bet, an he was at the door before he discovered he could run. He's batterin on the door an when they opened it, they couldnae believe it. He had the power o his legs an he could walk! An he got his five pound an his bottle o whisky after aa.

Told by Belle Stewart

The Nine Stall Stable

Once upon a time there was a crofter an his wife. They struggled on in the best way they could. Then they had a wee boy an he grew up a good boy an went tae school. His father let him do whatever he wanted an he would go aa roon the farmsteadin killin birds an daein aa the mischief he could. As he grew aulder, he never had any interest tae work or dae onythin aboot the croft. He just cairried on in his own way an father an his mother just let him, seein he was their only boy.

But when he was aboot seven or eight years old, his mither fell again an she had anither wee boy. Noo as this ither wee boy was risin, he was daein everythin his father telt him tae dae, quite a different laddie entirely. The two boys grew up an the younger one did aa the work an never complained, but the aulder one just went an played an he never chaved at aa.

Years rolled by tae they were near manhood, an the aulder one said tae his father, 'I think I'll go away an look for a job some ither place for I cannae be bothered bidin here ony langer.'

'Oh well,' says his father, 'please yersel. If ye can dae onythin better away, good luck tae ye.'

His mother parcelt up some food an away he went tae seek his fortune. He walked on an on for miles an miles intae a strange land where he never was afore. As he was comin along a road close tae the side o a loch, he sees a lot o swans an laddies were throwin stanes at them. 'Ah,' says he, 'that's a good pastime. I think I'll hae a shot masel.'

So he startit wi these laddies an staned the swans, but they flew oot on the water, an the boys soon got tired. He came on a bit farther an sat doon by the side o the road tae eat, when he noticed aa these wee ants rinnin back an forrit. 'Whit kin o torments o beasts are these?' he says. 'I think I'll tramp on them.' So he brayed them wi his feet an follaed them tae whaur they were gaun, an he scattered the big heap o mould that belonged tae them, jist tae see what was in the bottom o it. Of coorse there was nothin there but wee crumbs o this an that an deid flies an he just stood for a while lookin at it. 'Ach there's naethin interestin here,' he says, an gaes on the road farther.

He sat doon at a wee well tae get a drink o water when there comes oot o the well a wee frog. The wee frog spoke tae him.

'I could dae ye a good turn if ye'd only gie me a wee bit o your meat.'

'I'm nae gien ye onythin,' he says, 'Ye're gettin nane.'

'Aa right, then,' says the frog. 'Never mind. What are ye daein here onywey?'

'Oh,' he says, 'I'm lookin for a job wherever I can get it.'

'Oh,' says the frog, 'ye're on the right track. Dae ye see that big hoose away up there?'

'Aye,' he says, 'I see it. Well,' he says, 'they're lookin for a man up there. I've seen a few goin up there, but I've never seen them comin doon.'

Away he goes up tae this hoose an chaps at the door an a butler comes oot tae him. 'I'm lookin for a job,' he says. 'I heard ye were lookin for people tae work for ye.'

Away the butler went an oot comes the gentleman o the hoose. 'Can ye work?' he says.

'Oh I can work a wee bit.'

'Well,' he says, 'I'll gie ye a job, but if ye don't do it, ye'll never go back doon the road again.'

'Oh,' he says, 'if that's the wey o't, I'll try ma best an dae it.'

So he takes him tae this stable an there were nine stalls in it. 'You clean oot that stable an we'll see after that what ye can dae.'

'Right-o!' he says. So he gien him a barra an a brush an shovel an a graip an he starts tae clean the stable. Ach, within half an oor he got fed up an sat doon on top o a pile o strae an fell asleep. The gentleman came back an wakened him up. 'Ye havenae done very much,' he says.

'Naw,' he says, 'I was too tired. If ye give me a chance, I'll dae it the morn.'

'Aw, naw,' he says. 'Ye've had your chance!' An he turned him intae a grey stane at the door o the stable, for he was a warlock.

Now, back at the wee croft, the younger son was workin aboot an he was wonderin why his brither wisnae comin back an how he didnae even write. 'I tell ye whit I'll dae father,' he says. 'If you can manage tae struggle away, I'll go an see if I can find him.'

'Very good,' the father says. 'Away ye go son.'

So the next day he rose an got food fae his mother an as luck would have it, he traivelt in the same direction as his brither, as if somethin had guided him on the same road. He comes tae this samen lochside an here were these twa swans an their wee cygnets. He stood an he looked at them for a while, then these laddies came alang an were goin tae throw stanes at them.

'Aw naw,' he says, 'ye're no daein that. They're beautiful animals, an they're no daein ye ony hairm. Leave them alane or I'll maybe dae somethin aboot it.'

So the boys went away an he took a half o the breid he had in his wee bag an he fed the swans wi it. Efter a while he went on the road an the swans were swimmin on the loch again. He sat doon by the side o the road tae eat an he saw the wee ants goin back an forrit.

'They're great wee workin beasts,' he says, 'how they work an strive tae keep their ainsel. Wonderful beasts!' An he crummelt wee bits o breid doon tae them an he came owre tae the ants' bing an crummelt mair breid in the tap o it. The heid one o the ants came right oot an lookit up at him. 'That was very nice o ye,' he says, 'feedin us. If we can dae onythin for you, we'll certainly dae it.'

'Ach,' he says, 'that's nothin. I don't like tae see onybody bein bad tae beasts.'

'Ye're no like your brother,' says the ant. 'He was here an he tossed oor place aa oot.'

'Where did ma brother go?' he says.

'I don't know,' he says. 'If ye go across tae that well, there's a frog there that'll tell ye somethin mair aboot him.'

So he's owre tae the well an he's eatin his food when the frog came up tae the top o the water. 'Will ye gie me a wee bit o what you're eatin?' he says.

'Oh aye, I'll gie ye a bit,' he says, an crummelt two-three wee bits tae it.

'Your brother was here,' says the frog, 'an he's away up tae the big hoose for a job, an he's no back doon yet.'

'Oh well,' he says, 'I'll away up an see if he's still there. Maybe I'll get a job masel.'

So he's away up tae the big hoose an raps on the door an the butler comes oot an says, 'What dae ye want?'

'I'm lookin for some work,' he says.

So he goes in an the gentleman comes oot an says, 'I'll gie ye a job, if ye're a good worker.'

'I'm a good enough worker,' he says. 'At least I think I am. I could very near dae anything.'

He takes him owre tae the stable an gies him a barra an a graip an says, 'Ye've tae clean oot aa the dung fae these stalls. I'll gie ye tae this time tomorrow.'

'Oh that'll dae me fine, sir,' says the young man. Away goes the gentleman an this young fellow starts tae clean oot the stables an he's daein no bad, but oh! there was an affy dung in it an he's gettin tired. He sits doon an kind o dovert away tae sleep, but he shook hissel an went away doon tae the well tae get a drink o water. Up comes the wee frog. 'Hoo are ye gettin on, son?' he asks.

'I've a place tae clean oot,' he says, 'an I ken masel I'll never clean it oot.'

'Dinna you worry, says the wee frog, 'an I'll see if I can get ye a wee help.'

So he goes back tae the stable an he's workin away again, when in comes this wee man. 'Jist you sit doon on that puckle strae,' he says, ' an me an ma mates'll gie ye a wee hand.'

He sat doon an fell sound asleep an these wee men got startit on this stable. When he waukent up, everything was shinin an beautiful an there wasnae a taste o dung aboot it. In comes the gentleman an he says, 'ye've made a good job o that!'

'Oh aye,' he says.

'Well,' he says, 'seein you're such a good worker, I'll make ye a promise. If ye can dae this next wee job, ye can have ma daughter, the princess, tae mairry. On one condition.'

'What's that?' he says.

'When she was walkin in the forest, she had a very valuable string o pearls roon her neck, an she lost every one o them. If you can find them, I'll let her oot the dungeons an you can have her.'

'Oh,' thocht the young man tae hissel, 'whaur am I gaun tae get beads lost in a forest amang aa the green gress an breckans?'

'I'll gie ye a day tae find them,' says the gentleman. 'An I may as well tell ye, your brother was here an there he's at the door o the stable, that great big grey stane.'

'Oh well,' he says, 'sir, I think I'll be lyin there wi ma brither for I don't think I'll be able tae do this.'

Away the gentleman goes an the boy goes intae the wood an he's searchin here an there but he couldn't get a haet! It was gettin gloamin dark an he's away doon tae the well tae get a drink afore goin back tae be turned intae a grey stane. The wee frog came up. 'Aha,' he says, 'ye're in trouble this time! But cheer up, man, ye've plenty o guid freens. Away ye go an sit roon the side o the hoose where he'll no see you, an we'll see what we can dae.'

An he's away back up an he's sittin roon the side o the hoose an the sun's just about tae set at the back o the mountains, when he sees aa these wee ants comin an every yin had a pearl! 'Now,' says the king o the ants tae him, 'there's your pearls. You did us a good turn, so it's the least we can dae tae show you a good turn.'

'Oh that was very good o ye. Thanks very much,' he says.

He put aa the pearls in a wee dish an up he goes tae the front door o the big hoose. 'Is that onything like the pearls that were lost?' he says.

'Oh,' says the gentleman, 'that's the pearls that were lost.'

He takes him doon tae the dungeons an there's the most beautiful young princess ye ever saw, sittin greetin in her cell. 'It's aaright my dear,' he says, 'your father said I could get ye tae marry if I found your beads.'

'Oh, that's right,' says the laird, 'but ye canny get her the noo. There's anither job tae dae first. The keys o that dungeon were lost when me an ma gillie were oot fishin on that loch. The keys fell oot his pocket when he leaned owre tae net this big fish. An ye'll need tae get thae keys afore ye can get her.'

'Oh,' he says, 'this is terrible. I cannae swim an I don't know how I'm goin tae get these keys.'

Away he goes down tae the lochside an he's lookin alang the loch but he couldnae see onything. He's away tae the well again for a drink an the wee frog came up. 'Don't you worry,' it says, 'ye'll get the keys. I'll get in touch wi the swans. You come back here in hauf an oor an your keys'll be here by the well.'

So the swans is dippin up an doon, wi their necks away tae the bottom o the water an searchin here an searchin there an the male swan came up wi the keys in its mooth. When the young man came doon the keys were lyin by the well. 'Oh thanks very much,' he says tae the wee frog.

'Oh but you're no finished yet,' says the wee frog. 'I'll tell ye what's goin tae happen noo. He's goin tae challenge ye tae a race aa roon his estate, an if ye dinna get back tae the castle afore him, he'll turn ye intae a stane the same as your brother. Noo it's up tae you tae pick the richt horse.'

'How am I goin tae dae that?' he says.

'In the very end stall there's an auld, auld white horse that's awfy thin. You take that horse, an ye've a good chance o winnin.'

'Oh well,' he says, 'I'll take your biddin. Ye've been right up tae noo.'

He goes up an gies the gentleman the keys. 'Can I get your daughter noo?'

'No yet,' he says. 'Tomorrow we're goin tae have a race an you can pick ony horse you want in the stable. We'll have a race through the woods, across the valley an across the burn an back here tae the castle. An if ye get back here first, ye'll get the castle an I'll gie ye a rod tae turn aa the folk that I've enchanted back the way they were. They're aa aboot the castle, lairds an earls an folk wi plenty o money. That's if ye win this race.'

Down this fellow goes tae the stable tae pick his horse an he sees the auld white horse amang aa the ither horses an he says, 'I doot that frog's wrong. It could never win a race.'

'Is that what *you* think?' the auld horse said. 'You tak me an you'll win the race.'

Next mornin the sun was shinin bright an they got ready for the race. 'Noo,' says the king, 'we start fae up here.' An he mindit the young man o the way tae go. He got on the auld horse an it was just skin an bone. Ye'd think it hadnae a leg tae stand on. Away the two o them sets an this auld white horse is goin like the wind. They went through the first wood, an they come tae this level an the white horse says, 'Look over your shoulder an see if ye see the laird comin.'

'Aye,' he says, 'he's no far ahint me.'

'Well,' says the auld horse, 'look intae my lug an ye'll get a wee dreep o water. Fling it ahint ye an see whit happens.'

He looked in the horse's lug an saw a wee dreep o water hangin on the hairs o its lug an he cast it wi his finger an thoomb ahint him, an there was a loch o water, a ragin sea.

'Oh,' he says, 'he's swimmin through the water! He's gainin on us again.'

'Oh well,' says the old horse, 'look intae my ither lug an ye'll get a wee bit thorn. Fling it owre your shouther an see what happens.'

He looked in the horse's ither lug an saw this wee bit blackthorn and flung it owre his shouther. An when he lookit back there was a forest o thick blackthorn a flying midge wouldnae hae got through. An this bad laird was in the middle o't! He couldnae get oot, he was tied in a knot. The young fellow got hame tae the castle an he's a free man!

But he came back tae where the laird's stuck in the jungle o blackthorn an unable tae get oot onywey in the world. 'I'll need tae get him oot,' he says, 'or I'll no get my princess.'

The bad laird's roarin, 'I'm torn an I'm jaggit an I'm twistit tae bits.'

'Ask him', the auld horse says, 'if ye let him oot, will he let ye go free alang wi the castle.'

He asked him an the laird said he wad gie him everything if only he got him oot o the thorns. So he went doon again tae the wee frog an askit it how he could get the laird oot.

'Jist you tell him', says the frog, 'tae throw oot his magic rod o enchantment tae ye an ye'll get him oot o the bushes.'

The young man goes back up tae the bushes again an says, 'If ye throw me oot the rod o enchanmtment, I'll get ye oot o the bushes.'

'Oh no,' he says. 'Ye can't get it. That's where aa my pooer lies.'

'I ken that,' says the young lad. 'But if ye dinna gie me it ye'll jist hae tae bide in the jags.'

So he flung him oot this black ebony staff an he gien it a shake back an forrit an the bushes just withert an the laird got oot, an he wasnae worth a haepenny. Then he went doon tae the door o the stable an shakit it abeen the grey stane an his brither jumpit up like life. Roon aa the castle here an there he was touchin aa these droll-shapit stanes an they were comin oot princes an lairds an aa kin o high folks. An he got his sweetheart oot o the dungeon. He was just aboot tae set off hame wi his brother an his princess, when he says, 'Oh wait a minute, I'll need tae go doon an see my wee frog.'

So he's doon tae the well. 'Are ye there wee frog?' he says.

'Aye I'm here,' says the frog. 'Just gie your rod a shake owre the well.' He shook the rod owre the well an there was a flash an this was a great huge castle where the well had been, and the frog was the laird o the castle. 'Noo,' says this laird, 'aa thae wee ants are my workers.' So he went an touched the ants' bing an hundreds o workers, fairmers an servants o every kind came oot.

They startit back hame an by the loch the swans came canny intae them. An they said, 'Noo ye must dae somethin for us.' So he waved the rod owre them an this was the king an the queen o that country an their family. An the two brothers went hame tae their father and mother an telt them aa that had happened an the young one said, 'Noo I'll go back tae ma castle an ma princess, but I'll send ye money every week an I'll come an see you.'

An that's the end o ma story.

Told by Willie MacPhee

The Blacksmith

A blacksmith and his wife lived in this wee cottage. He was a very pleasant old man but his wife was a crabbit auld devil. They were always arguin wi one another. One mornin he goes intae the smithy an pit on a big fire an sat doon on an auld chair tae wait for customers comin. All of a sudden a young man came through the door.

'Are ye no workin the day, smith?' he says.

'No,' he says, 'no the day.'

'Well,' he says, 'would ye mind very much if I was tae use your tools an your anvil tae do a wee job?'

'Oh no,' he says, 'that's quite all right.'

So the young man went oot the door an he took in a young woman, aa oot o shape an twisted, an ugly cratur. He went owre tae where the fire was an blew it up till the sparks were goin up through the lum. Then he catches the young woman an pits her on top o the red-hot cinders! When the flesh was burnt off her bones, he took the bones an pit them on the anvil an broke them up wi the hammer till they were just like dust. Then he gathered the dust together an sput on it twice or three times an blowed air on it. All of a sudden there appeared oot o it the most beautiful young woman anybody ever saw. The smith's lookin at this an he says, 'That's funny!'

'Well,' says the young man, 'don't you tell an don't you try what ye see ony ither body doin, an I'll gie ye five sovereigns.'

Away the young man went an the beautiful lady wi him. The smith's sittin in his chair an thinkin aboot this, when through the door comes his auld wife. 'Ye're sittin on that chair again!' she says. 'Ye're daein nothin but heatin yersel at the fire. Ye'd better get up an dae somethin!'

'Oh,' he says, 'I'm goin tae dae something aa right!' an he grabbed her an pit her on top of the fire an blew it up an she's screamin an roarin. He burnt her tae a shinner! 'Noo,' he says 'I'll hae a pleasin, good-lookin woman in just a minute.' He gaithers the banes and lays them on the anvil an hammers them till they're intae dust. He made a nice wee heap o it an sput on it, then blowed. Nothing happened! He did it again an again, but naw! Naethin!

'Aw,' he says, 'what hae I done? I've burnt ma auld wife. I'll be hanged an transported! The best thing I can dae is clear oot o here!'

He went intae the hoose an pit two-three tools an some claes intae a bundle an set oot. He's aye lookin back tae see if anybody's followin him. Two or three days later he comes tae the tap o a hill an he looks doon intae a valley wi a wee toon an beautiful music comin up fae it. 'I wonder what's gaun on doon there,' he says. He was haufway doon the brae when he met an auld man comin up.

'What's gaun on in the toon?' he says. 'I'm a stranger here an I dinna ken.'

138

'Well,' he says, 'it's a kind o a holiday. It's for the laird's daughter. Three years ago she took ill an she's all disfigured. Noo, maybe you can tell me something. Can ye tell me where there's a smithy?'

'Well, I'm a smith,' he says. 'What is it you want done?'

'I've a wee skillet for boilin ma tea in,' the old man says, 'an the handle's come off. Dae ye think ye could sort it?'

'Oh certainly,' he says. So he went tae the auld man's hoose an he pit the handle on his wee pan. 'How's that, old man?'

'That's fine,' says the old man. 'Here's three shillins tae ye.'

'Fair enough,' says the smith.

'If ye go intae the toon,' says the old man, 'ye might hae a chance o gettin a job there.'

So the smith went doon intae the toon an he goes in an he spends his three shillins on beer, an when he's half-drunk, he says tae himsel, 'I'll go an see this laird an see what I can dae tae help his dochter.'

When he comes tae the big hoose there are two guards standin. 'Where are ye gaun, old man?'

'I'm gaun tae see the laird,' he says. 'I've heard that his dochter's been ill.'

'That's right. Are you a doctor?'

'I'm no a doctor. I'm a blacksmith.'

'I doot,' says the guard, 'ye'll not be able tae dae much because specialists fae aa ower could dae nothin wi her.'

'Ach well,' he says, 'I'll try anyway.' So they let him come up tae the hoose an he raps on the front door, an a butler comes oot.

'What dae ye want old man?'

'I've heard the dochter o the hoose is ill an I've come tae see if I could dae onythin for her.'

'I'll see what the laird says,' says the butler.

In he goes an the laird comes oot. 'If you can cure my daughter,' he says tae the smith, 'I'll gie ye anything in this world.'

'Well,' he says, 'I'd like a wee blacksmith's shop.'

'Oh I've got five or six blacksmith's shops,' he says, an he showed him roon, an there were two or three men workin in them.' I just want tae work masel,' the smith says, 'I don't need these men.'

'Well,' says the laird, 'jist suit yersel. Dae your work. But how are ye gaun tae cure my daughter?'

'Bring your dochter doon in aboot hauf an oor, an leave her wi me an I'll cure her,' he says.

'Fair enough,' says the laird.

The smith went in an kennled up the fire an the sparks flew up the chimney. The laird comes doon wi his dochter an she was the ugliest woman ye ever saw. 'There ye are old man,' says the laird. 'see what ye can do wi her.'

The auld smith tane the lassie an put her on the fire an burnt her till there was nothin but the banes an he gathered them up an pit them on the anvil an broke them up an sput on them an blawed them, but naw! naethin

happened! He tried it owre an owre again, but not a thing happened. 'Aw
there noo,' he says, 'I'll be shot or killed this time. There's no use tryin tae
run away fae this!'

He's sittin lookin at the remains of the bones on top o the anvil, when
there's somebody comes tae the door. 'That's him back for his dochter!' he
says, but the door opens an in comes the young man he had first seen at the
smithy. 'I thocht I telt ye,' he says, 'never in your life tae try onything ye see
any other body daein.'

'Well,' says the smith, 'I'm sorry.'

'Sorry's too late!' says the young man an he hit him a welt. Then he
gathered aa the bones together on the anvil an spat on them an blew an the
most beautiful young woman appeared. 'Now,' he says, tae the smith, 'I'm
gaun tae gie ye anither five sovereigns, for ye never tae let on aboot this.'

'I'll no speak aboot it,' says the smith.

The young man took the young woman an went oot the door an the
smith's sittin rubbin his hands when the door opened again and in came his
auld wife! He lookit at her. 'Is that you, Maggie?' he says.

'Aye,' she says, 'it's me. Wha did ye think it was?'

'It canny be you!' he says.

'How can it no be me?' she says.

He went forward tae her. 'Oh it's you richt enough!' he says an gien her a
kiss.

'Ye'd better get your fire gaun,' she says. 'There's a man comin in wi a
pair o horses he wants shoed.'

He was shoein the man's horses when he had tae gae intae the hoose for
mair nails. 'Have ye nae tea in the hoose, Maggie?' he says.

'How can I get tea,' she says, 'when there's no a penny in the hoose?'

He pit his hand in his pocket an took oot the ten gold sovereigns. 'Ye've
money noo,' he says, 'haven't ye?'

'Whaur did that come fae?' she says.

'I dinna ken,' he says. 'Either I fell asleep or something droll happened
tae me, but there's ten sovereigns!'

Told by Willie MacPhee

The Haunted Farmhouse at Carmony

I had gone tae Ireland tae bring back some tattie squads when I landed up near Derry wi Maggie ma wife and I asked a man if he knew where I could rent a house. 'Aye,' he says, 'I believe I do. We'll go the morn an see the man that's got the hoose.' Next day he drove me up the road an says, 'There's the hoose I was telling ye aboot.' It was up a long avenue wi a hedge at each side an it was built like a manse wi iron gates an an orchard in front and a yard at the back wi the cowsheds an piggeries an implement sheds. It was a lovely place and we went doon tae see the owner an got it for three pound a week.

My son John an ma daughter Nancy came owre an we moved in. It was an eight-room hoose wi a kitchen built on the back. The front door opened on a big long passage an there was a big stair wi banisters came right doon fae the top. There wasnae much furniture so we roughed it for a couple o nights then we went intae Derry tae get some things. We left Nancy tae watch the children an when we came back Nancy was cryin an so were the rest. 'As true as God's in heaven, Da,' she says, 'there's somebody up the stair!'

'Dinna be stupid, lassie,' I says.

Noo my ither son Toby had come owre an he an John took their beds up the stair. When I came in for breakfast the next mornin, I says tae Maggie, 'Ye know there's somethin aboot this hoose I dinna like. I can feel it.'

Just then John came in, 'You're tellin me!' he says. Noo he was in the RAF for aboot twelve year afore that. 'We couldnae sleep in that bed aa night. We had tae pit oor mattress on the floor. The bed was shakin an bumpin an jumpin aa night!'

'Well, that's queer!' I says.

'An there was a blue light shinin on the waa aa night.'

After the boys went oot tae meet some Irishmen that had been across workin wi them, I went oot tae have a walk roon the steadin. Noo when a place is in the country in Ireland, ye could hear a pin fall, because there's no much traffic. An I hears this 'Ca-ca-ca-ca-ca-ca!'

'That's hens,' I says. 'If I knew where they were I might get eggs, or one tae kill for the pot.' I was aa through these empty sheds right tae where the field came doon an I couldna see a hen aboot the place. When I came in again I could hear a noise like a cow chewin a turnip. I was in the byre an there were chains hangin an bowls for water, where the cows had been. 'That's queer,' I says.

If ye listened ye couldn't hear it, but if ye were walkin aboot and no payin attention, ye would hear it. Every night, if ye were sittin, ye would hear feet goin across the floor. If ye were talkin through one another an kept one ear some place else, ye'd hear everything. Lyin in bed at nicht I could hear this child away in the distance sayin, 'Mammy! Mammy!' Ye'd hae thocht ye were actually listenin tae it through water. Then at one or two in the mornin ye'd hear a rake on the gravel oot on the front. Then a sickly smell would come. Did ye ever walk intae an old mouldy house an old priest or a minister wad have an they'd been dead for years an ye got these old mouldy books wi this peaty musty smell? That's the smell that wad come.

I was in bed one night when I heard a car comin up the lane an when I went oot there was naethin there. Anither night I'd gone oot tae buy some hens fae a chap Joe Fleming away up a glen, an a storm came on so I stayed the night. Noo Maggie was in the hoose an she saw a light comin up the avenue an she thocht. 'That'll be him comin back drunk an he'll no have a haepenny tae pay his taxi!' She went intae the kitchen an she heard the car stopppin an people talkin, but when she opened the door, there was nothin there! Nothin! She says tae John's wife Madeline, 'There's naebody there!'

'Oh,' she says, 'there's bound tae be, because we saw the car comin up the drive!'

Now my daughter Patsy an her husband Matt an their family came owre an they were in one o the rooms upstairs an at two o'clock in the mornin I hears laughin an dancin up on the landin an I shout, 'That's an awfy noise, tae be makin at this time o the mornin. What are ye daein rinnin aboot like that?'

'The weans are aa in bed!' John says. 'There's naebody cairryin on up here. But I hear a noise doon the stairs!'

Aboot half an oor afterwards I heard feet comin doon the stair an I thocht it was John doon for matches. I got oot o bed in ma shirt tail an opened the door an there wasnae a soul! Noo aa this time I wasnae sleepin, even though I wasnae frightened, I couldnae sleep till the first bird whistled in the mornin. Then there was a weight seemed tae go away fae the hoose an I fell soond asleep like a wean.

Then Bennie was an affy laddie for goin up the stair. Ye ken, he's my mongol laddie. He came doon this day an says, 'A woman up the stair.' Some o them had gone up tae bring him doon, because we heard him talkin tae somebody in the bathroom. I says, 'What were ye daein up there?'

'Talkin tae Ann,' he says. 'She was washin her face. Broon hair. Combin hair.'

He was the only person who saw the ghost in that hoose! There's queerer yet tae come. Then my nephew an his wife arrived fae Scotland an they were sleepin on a shake-doon in the kitchen an he says, 'I hear somethin bumpin on the stairs.' He held the door open an the three-way light's bowls started to go up an doon. 'Look at that!' he says. An the door banged against his hand three times an he near messed his longjohns wi the fright he got. Then a stone hit the windae but didnae brek it. I went oot wi a lichtit candle tae see if it was lyin ootside an there was nae stane!

Then my brother-in-law Sammy Thomson was lyin on the sofa one night an he says, 'There's a cat rubbin against ma legs. Have you got a cat noo?'

'There's nae cat here,' I says.

'Well,' he says, 'I could have sworn I felt a cat on my legs.'

Then I felt a cat rubbin against my legs!

One day John and Toby and I went doon tae a farm on the main road we used tae dae oor phonin fae, tae mak a phone call tae my sons in Scotland. After we'd used the phone, the man o the hoose was talkin away tae us an we were havin a Guinness wi him. We were crackin aboot hoo we dressed the tatties in Scotland an after we'd talked a good time, I says, 'Tell me, what's wrong wi that place up the road, where we are! Is it haunted?'

The woman looked at her man an he looked at me. 'Mr Stewart,' he says, 'you've got that hoose set.' In Ireland that means we rented it. 'I wouldn't like tae say too much about it. My father was going to buy it at one time, because there's eighty acres o ground with it. But the man ye should ask is the boy Docherty. He only stayed a fortnight in it because he couldnae get any sleep an he had tae leave it.'

'There's some queer things gaun on up there. My boy Bennie, him that's no richt, saw a woman up the stair. He said she was washin her face in the bathroom an she had broon hair an her name was Ann.'

When I said that, the farm woman nearly fainted! 'Oh my God!' she says. 'That was Ann Gilchrist! She died there twenty five years ago! She and her man had the farm and their heart was in it. I mind when they had new carpets on the stair an they wanted me tae go an see it. She had one child an she was kind o paralysed after she had the child and the doctor told her no tae have any more, or she would die. They were out at four and five in the mornin milkin the kye an they would take that little baby an sit it in a chair in the cold byre. The child took pneumonia and died. Ann Gilchrist would go aboot the hoose wi a chair in front o her.'

'That's what we heard up the stair!' I says.

'To tell you the truth Mr Stewart,' he says. 'You've been the longest in that hoose!'

Told by John Stewart

The Three Dogs

Once there was an auld woman who worked upon the king's estate an she had a son Jack who was very lazy and wouldnae work. She kept three kye an one day when things were gettin kind o ticht an they hadnae ony money, she says tae Jack, 'The morn is the market an I want ye tae tak yin o the coos an sell it tae the highest bidder. It's comin near winter-time an it'll be a sair trachle for the twa o us for you dinnae do anything.'

So he gets up in the mornin an gies hissel a shake. His mother puts a rope on the coo's neck for him an he's away on tae the wee toon where the fair was. As he's comin on the road, he meets the butcher wha says tae him, 'Whaur are ye gaun Jack?'

'Ma mither sent me,' he says, 'tae sell the coo tae the highest bidder.'

Says the butcher, 'She doesnae look as if she's gien much milk.'

'No,' says Jack, 'she's no giein much milk, but she's a nice coo.'

'I tell ye what I'll dae,' says the butcher, 'Ye see that dog there? That's a full-bred greyhound, the fastest in the country.' Noo he kent Jack was aye snarin an poachin an he likit a good dog. 'It's caaed Swift, an I'll gie ye that dog for the coo.'

'Oh,' says Jack, 'I daurna. I wad get a row fae ma mither.'

'If ye're oot wi Swift,' says the butcher, 'it'll catch a hare or two for ye an that'll keep your mither's pot boilin.'

'Oh aye, right enough,' says Jack, 'I'll mak a deal wi ye, then.'

So Jack gets the dog an the butcher taks the coo. Jack goes back tae his mother an she says, 'Did ye sell the coo?'

He says, 'Naw, I didnae sell the coo. I swapped it for a dog.'

Well she laid intae him wi a walkin stick. 'You,' she says, 'You've ruined me, pittin a guid auld coo awa for a dog!'

The row quietened doon an he was oot wi the dog an it could run fast. But although he brought her in hares, she was aye on aboot the coo bein pitten awa for the dog.

'Now,' she says, 'it's time for the market again, an you'll go wi the ither coo, for we're needin the money tae keep us through the winter. For the peril o your life, don't do what ye did wi the first yin.'

So he's up in the mornin an he gets his barley meal bannock an his sowans an he gets the coo with the rope roon its neck an he's awa doon the road. He meets the butcher again wha says tae him, 'Whaur are ye gaun Jack?'

'I'm gaun tae sell this coo for ma mither. I got an awfu tellin off when I went hame.'

'Dae ye no like the dog ye got?' says the butcher.

'Oh the dog was right enough,' says Jack. 'But I got a sair heid for pittin the coo awa for it.'

'Well,' says the butcher, 'there's its neebor. That's Know-all. It knows where aa the game's lyin. I'll gie ye it for the coo an ye'll hae the two dogs, the one tae help the ither.'

Tae cut a long story short, he bullyrags Jack intae takin the other dog, Know-all. He comes back tae the auld hoose an his mither says, 'Did ye sell the coo?'

'The butcher got it,' he says.

'Where's the money then?'

'I didnae get money,' he says. 'I got another dog fae him.'

Oh what a batterin an a lickin he got! An Jack tried tae stand up for hissel. 'I ken,' he says, 'when I'm oot, ye let the auld packman in! So dinna start wi me!'

But the next week, she says, 'Noo, I'm pittin you tae the market wi Beauty, oor best milkin coo. If ye pit it awa, that's us done for life!'

So off he sets wi Beauty, an his mither was greetin tae part wi such a good milkin coo, an he meets the butcher again. 'Whaur are ye gaun Jack?' he says.

'I'm gaun tae the market,' says Jack. 'You near got me kilt stone deid wi ma mither over that dog.'

'I kept back the best dog,' he says, 'tae the last. He's caaed Able an the three o them work together. Know-all kens where tae find the game, an if it's in a dyke or a burrow, Able'll knock it doon or tear it oot an Swift'll catch it.'

Jack's goin up an doon wringin his hands. He's dyin for the dog but feart tae pairt wi the coo for it. But anyway, he pits the coo away for the dog. An when he got hame, his mither jist aboot massacred him!

Noo Jack an his dogs went away on a day's huntin tae get oot her road, an Know-all says tae him, 'Jack!'

'What?' he says. Can he speak?'

'Aye,' says the dog. 'I can speak. Now ye ken that packman that's been gettin in tae see your mother, the one ye've been worryin aboot. She hides him under a flagstane near the hearth. Noo when ye gae hame, ye'll hae plenty rabbits an hares, so ask her tae pit on the big three-fittit pot. When it's boilin lay it on the flagstane an we'll start fightin owre it an cowp it an that'll pit an end tae the packman.'

'Very good,' says Jack.

So Jack's gettin hares an rabbits in dozens wi his dogs, an when he has a bagful, he comes intae the hoose. 'Oh we're awfy hungry!' he says, an pits the big pot on the fire, on the swey, till it boils wi the rabbits. Then he puts it on the flagstane an throws a wee bit tae the dogs an they start tae fight. Able puts his shouther tae the pot an cowps it, an it breaks the flagstane an the boilin bree pours down owre the packman an he's burnt tae death. Jack's mither buried him at the fit o the garden an she's lamentin roon the hoose.

Next mornin Jack's oot wi his three dogs when he stops by an auld dyke up a hillside tae watch a weasel an a rat fightin. The weasel kilt the rat, then it went intae a hole in the dyke an cam oot wi a wee bottle an there was a feather on the end o the cork intae it. It rubbit the rat aa owre wi it an it was good as ever. 'Ah,' says Jack, 'I ken whaur that bottle is. I'll come back this way later on an I'll get it!'

Noo while he was oot his mither had got a long sharp bone an laid it intae his bed and it was poisoned. After he'd had his supper he wad go an throw hissel on top o his bed. That night when he'd had his tea, he gied a yawn an went an flung hissel on his bed an the bone goes intae his back. Poor Jack's as dead as a herrin! Then his mother spits on her stick an drives the three dogs roon aa the corners o the hoose an she kicked them an chased them doon the road. Then she comes back an rolls Jack's body intae a ditch. 'Ye can lie there!' she says.

'Now,' says Able tae the ither twa, 'come wi me.' They go back tae where the weasel had the bottle an Able knockit the dyke doon an Swift ran tae where Jack was an they rubbit the stuff owre him an he came tae life again. When he saw whit they had done he says, 'My darlin dogs! Ye're good tae me!'

Jack came back hame an he's workin wi his dogs, but when he was lyin doon asleep, his mither took them miles away this time an when Jack got up in the mornin tae feed his dogs, they're away!

'Ach,' he says, 'I'll have tae go an search for my dogs.'

So he spits on his stick an he's away owre sheep's parks, bullocks' parks an aa the parks o Yarrow, owre woods an fields an owre burns an banks, till he comes tae this wee hoose. There was an auld woman standin at the door.

'Excuse me, auld woman,' he says, 'ye wouldnae happen tae hae seen three dogs passin?'

'Oh aye,' she says, 'there was three dogs passed here. They were just trampin wi their heids hangin amongst their feet. The yin that was the worst, that was aye trailin ahint, went doon at the back o that bush an it spewed up its hairt, liver and lungs.'

Jack went doon tae the back o the bush an he spread his hankie on the ground an pit the hairt, liver an lungs intae it an rowed it up an pit it in his pocket. He comes on till he gets tae anither hoose. This was anither auld woman.

'Yes,' she says, 'I did see twa dogs passin the other day. They were awfy tired-lookin. One o them went doon at the side o the road an spewed its hairt, liver and lungs up.'

So Jack went doon an pit the hairt, liver and lungs in another corner o the hankie and went on his way. He went on an on an got soakin wet lyin oot aa night till he came tae anither wee low hoose in a wood. When he chappit at the door, an auld man came oot tae him. 'I saw a dog,' the old man says, 'an it lay for an oor. I saw blood lyin but I didnae ken what it was aboot.'

So Jack went an looked an here's the ither dog's hairt, liver and lungs, so he pits them in his hankie. He telt the auld man the story an he says, 'Well, ye'd better gae doon tae the Witch's Rock near the seashore, for she'll have your dogs. Whatever she has, it'll take a lot o gettin back. But take that sword wi ye, for she'll come at ye in a shape o a beast. She can turn hersel intae onything.'

Jack thanks the auld man and takes the sword an ties it roon his waist. 'If she comes at ye in her own shape,' the auld man says, 'grab her by the left breist. That's the only place ye'll be able tae hold her.'

When Jack comes doon tae the cave, there's a lion on each side chained. He goes up tae them an draws the sword an it seemed tae be powerful, it was movin by itself an he cut the heids fae the twa lions. Then she comes at him, a mad skirlin witch, wi her hair fleein ahint her. Jack grabs her by the left breist an hangs on but the sword didnae seem tae be workin against her. Jack hauds on an hauds on.

'Let me go,' she says, 'an I'll give ye your three dogs.'

'Ye'll have tae take an oath on that,' he says, 'swear tae me by aa the powers o the Universe that you'll gie me my dogs!'

'By all the powers o the Universe,' she says, 'I'll gie ye your dogs!' An she vanishes!

The three dogs came walkin oot the cave and Jack gave them back their hairts, livers and lungs an they says, 'Noo Jack, take your sword an cut off wir heids.'

'Naw, naw!' he says, 'I couldnae dae that!'

'You must cut wir heids off,' they says, an oh! they argue an argue, so at the finish Jack cuts their heids off an they turn intae three young men, his long-lost brothers. The four o them went hame tae their mother an she had lots o workers!

Told by John Stewart

Johnny in the Cradle

There was once a tailor an he travelled the country right around an every place he got an order, he stayed till he made what was ordered. He came tae a wee farm an he rapped on the door an the man came oot an said, 'Is that you tailor?'

'Yes,' he says, 'are ye needin onything the day?'

'Oh yes,' he says, 'I was just goin tae send for ye. I want a suit o clothes made.'

So he went intae the room an he heard a wee bairn greetin. An it was goin, 'Uhuh! Uhuh! Uhuh!' Sore greetin! 'What's wrong wi the bairn?' says the tailor.

'Oh,' he says, 'he's been like that since he was born!'

'What age is he?'

'He's eighteen month old. He gret like that since he was born. We've tae pit him intae anither room tae get sleepin.'

'My goodness, that's terrible!' says the tailor. 'Ach, but he'll no bother me. I'll just make your suit.'

One Friday the fairmer comes in an he says, 'I wonder, tailor, could ye look efter Johnny. I'm awa tae the mairket wi ma wife. He's in the cradle ben the room. Ye can take your stuff ben there.'

'Oh,' he says, 'I'll be all right. You away tae the mairket an I'll look efter Johnny.'

When they were away aboot two or three mile doon the road, Johnny stoppit greetin aa o a sudden. 'My God,' says the tailor, 'He's stoppit greetin!'

'Aye,' says Johnny, 'I've stoppit greetin aa right. Are they far awa?'

'Oh aye,' he says, 'they're aboot two or three mile away.'

'Would ye like a tune?' says Johnny.

'Oh aye,' says the tailor, 'I wad like a tune. What dae ye play?'

'I'll show ye,' he says. He pit his hand intae the cradle an pulled oot a big long strae an he burred hissel oot an he started tae play reels an jigs an marches an the tailor's workin away at the suit.

Then Johnny says, 'Wad ye like a dram tailor?'

'Oh aye,' says the tailor, 'but where ye goin tae get it?'

An he jumped oot the cradle an it went tae the press an it blew its breath on the lock, opened the press an took the bottle o whisky an glasses. He gied yin tae the tailor an yin tae himsel. Then he says, 'I wonder are my mother an father comin hame?'

'Aye,' says the tailor, 'they should be aboot a mile fae hame noo.'

So Johnny put the whisky awa an pit the straw back in the cradle an started tae greet again. 'Uhuh! Uhuh! Uhuh!'

148

So the fairmer comes in an he says, 'Well, tailor, were ye bothered wi Johnny?'

'Not a bit,' says the tailor. 'The best day ever I had!' Johnny's aye watchin him an greetin away. The tailor waited till the fairmer went oot tae the byre tae milk the kye an he went oot tae him an telt him aboot Johnny playin tunes on straw an giein him a dram.

'Aw,' says the fairmer, 'that cannae be!'

'Well then,' says the tailor, 'next Friday, you say you're gaun tae the market, then jist stand in the lobby an ye'll hear him.'

So the next week, the fairmer says tae the tailor, 'Will ye look efter Johnny when we gang tae the mairket?'

'I'll look after Johnny all right,' says the tailor. So the fairmer an his wife were supposed tae be away, but they're standin in the lobby.

So Johnny says, 'Are they far away, tailor?'

'Oh aye, they'll be two or three mile doon the road noo,' says the tailor. 'Would ye like a tune again?' he says.

'Oh aye,' he says, 'I'd like a tune.'

So he pit his hand underneath an pulled oot this long straw again an he started tae play jigs an reels, strathspeys an marches. 'My word!' says the tailor, 'ye can play that thing!'

'Oh aye, I can play it. Would ye like a dram tailor?'

'Aye, I'd like a dram.'

An he went tae the press again an huffed on the lock an he's oot again wi the whisky an the man an woman nearly took a fit! Then the corn strae's oot again an he's playin an the tailor's dancin!

'Dae ye think they'll be comin back noo? he says.

'Aye,' says the tailor. 'they cannae be far away.' So he jist pits aa thing back an starts tae greet again, an the tailor's sewin the suit o claes.

The farmer comes in an he says 'Ye'll be tired listenin tae Johnny greetin!'

'Oh no,' says the tailor, 'I enjoyed the day fine.'

He went oot tae the byre wi the fairmer later on an says, 'Did ye see him? Did ye hear?'

'I did that,' says the fairmer. 'What can I do?'

'Now, you leave it tae me,' says the tailor. 'I'll cure him. Get me a griddle an put some horse manure on top o the griddle.' Then he took the griddle an put it on the swey in the old-fashioned fireplace an blew the fire up till it was bleezin. 'Come on, Johnny, I want you!' he says, an he went owre tae the cradle. But when Johnny heard that, he's whoosh! oot o the cradle an up the chimney in a ball o fire. An he cries, 'I wish I'd been langer wi ma mither, I'd hae kent her better!' Ye can take what meanin ye like oot o that. When the fairmer an his wife lookit in the cradle they found their ain bairn lyin there in place o the changelin the fairies had left.

Told by Alec Stewart

The Burkers and the Barrel

When my father's family used tae make tin they went hammer an tongs at it fae mornin till night tae they made a good heap o jugs an basins an pails. Then the woman would take them in the country roon aboot an if they were oot two or three days, the fairms they called at wad sometimes keep them aa night. Noo my father telt me one time they'd wannert on an they hadnae reached the place they were goin tae, but they went intae a fairm an the woman bocht one or two things fae them. My father's auldest sister says tae her, 'We're auld Jimmy Stewart's family. Wad ye have a place where we could sleep aa night?'

At that time they wad generally pit ye intae the byre where there were plenty o straw tae mak a bed, or intae the place where they kept the wool. The woman says, 'Oh aye,' an she caaed on one o three rough-lookin men in the hoose an says, 'Show them whaur tae go.'

So he took them oot across the steadin an swung the big bar off a door an pulls it open. 'In there,' he says. They walked in an they were faain owre a big heap o neeps. There was nothin in the shed but neeps an straw. 'We can never lie here,' my faither said. But when he tried the door, it was barred fae the ootside. My faither says, 'I bet ye this is Burkers!' an the lassies got feart an started a contraiversy aboot how they were tae get oot. My father just had one match an his sister Lizzie had a wee stump o candle an they were gropin aboot when they came across a barrel. Noo at that time they aa killed their ain pigs, so ma faither thocht, 'Before I go, I'll hae a lump o bacon oot o this in my basket.'

But when they lookit wi the candle, there was blood hardened owre the top o this barrel. My father liftit it up an pit his hand in an he could swear it was human flesh in it, no pig at aa, but arms an legs an torsos!

They huntit roon the back o the shed an there was a bore hole where they pit in the neeps but there was a board up against it held wi a stick fae the ootside. He workit at it an workit at it, till he got the board doon. 'Noo,' he says, 'dinna let the tin rattle. Pass the things oot tae me.' They passed them oot as canny as they could, then he helped the lassies oot an there was aboot two feet o snaw on the ground. They went doon the brae they'd come up then up anither brae an they were just goin up, the ither side when they saw the lanterns an heard them sayin, 'They're away this way. There's their footmarks in the snaw!'

They got ontae the road an they ran like the hammers o hell as far as the village o Cockbridge.

Told by John Stewart

150

Burkers at Crieff

This happened a long time ago at Crieff, where I'd hawkit for a bit an I only had a push-bike an a tent. I came tae Bridgend in Crieff in the back end o the year at the tattie time. I put up ma tent an I went tae bed. Noo the tent wasnae very big an it wasnae broad enough for me tae lie across, I had tae lie wi ma feet tae the door. It was one o these tent doors that ye lace up an put a pin in the bottom at the inside.

I'm lyin sleepin when I felt this thing at ma feet. I was tired; I'd been cycling aa day an I dovered tae sleep again. This thing waukened me again an I says, 'Hoosh! Get away wi ye!' It went away, but I didnae sleep this time, I kept awake. It came back an startit wi the door again. It was difficult tae open the door the way it was laced inside wi this pin. So I'm lyin wi my feet tight up agen the door on the breadth o ma back. But finally the door was opened an it was dark so I couldnae see. Two hands came right down below the blankets an right roon my two ankles. It must hae been a big man tae dae that! An he pulled me oot through the door. An as he pulled me oot, some other body was spreadin a sheet because ye could hear it faain on top o the leaves ootside an rustlin.

I says tae masel, 'That's no a dog!' I says, 'Hoosh! Get away wi ye!' an I pulled ma feet in, and I went through the side o the tent an scooted away through the bushes. When I came oot, there were two or three o them an they just steppit back among the bushes. They didnae try tae rush me. I went up the road to some friends I had and I was maybe twenty minutes up there when a motor car came by an went back up tae this farm. When I came back, my wee tent was ransacked an cowped an knocked doon an there was the track o the big caur whaur it had turned just right aside where I was! When I ran oot that nicht, I'd never seen any car, for it was dark an I was goin too fast tae notice anything!

Told by Willie MacPhee

Aipplie and Orangie

Once upon a time there were two wee girls an they had pet names. One o them was Aipplie an the ither one was Orangie. Now Orangie's mother wasnae Aipplie's mother and Aipplie's father wasnae Orangie's father. It was stepmother, stepfather. Now wee Aipplie was an affy bonnie wee lassie an her stepmother was jealous o her. But wee Orangie got on affy weel wi her, she really did like her. Noo wee Aipplie had everything tae dae in the hoose, aa the cleanin, an wee Orangie jist went oot tae play. She felt sorry for her wee step-sister, but there was naethin she could dae aboot it, because her mother wouldnae let her. On Aipplie's birthday, her father went tae the jeweller's shop an bocht her a wee ring for her finger, for he was sae fond o her.

Noo one day when her father went tae work, her stepmother's shoutin on her, 'Aipplie! Aipplie! Come here! I want ye tae go doon tae the dairy an get the milk. But mind an no break my good jug, or I'll murder ye!'

So wee Aipplie gets the jug an she's tra-la-la-ing doon the road tae the dairy an she buys the milk an she's comin oot again when she trips on the pavement an the jug goes in a thousand bits. Oh she didnae ken what tae dae so she's sittin greetin an a man comes up tae her an says, 'What's wrong wi ye, wee girl?'

'Oh,' she says, 'I needna gae hame tae my Mammy, for she said she'd murder me if I broke her good jug!'

'Never mind,' he says. 'It cannae be as bad as that. Come on intae the ironmonger's an I'll buy ye anither one.'

'Oh my Mammy'll ken it's no her jug,' she says.

But he went in an bocht her a new yin an he fills it wi milk fae the dairy an hands it tae her. So Aipplie's flyin hame because she's late. She keeks in the kitchen an her Mammy's no there, so she leaves it on the table an goes oot tae play wi Orangie. Her Mammy comes back an sees the different jug an calls her in. 'Aipplie! Where's my jug?'

'Oh,' she says, 'I couldnae help it! I tripped comin oot the dairy an the jug broke!'

'I told ye what I'd do, didn't I?' she says. 'Orangie, go ootside an get me that big axe.' She's tane wee Aipplie an she pits her on the table an chops her intae bits an she's throwin them intae a cauldron she's got boilin on the fire, an she pits in peas an barley an vegetables an she's stirrin it roon. Wee Orangie's greetin an her Mammy says tae her, 'Get these bones oot the back an pit them under a stane afore your father comes hame.'

When the Daddy comes hame that nicht, he says, 'What a great smell o broth!'

'Aye,' she says, 'we're haein broth the night. Jist sit doon.'

152

'Where's Aipplie?' he says.

'Oh, she's away playin some place. She'll be back in a wee minute. Sit doon an get your broth.' She lifts the plate an ladles oot the soup an the Daddy breaks his breid an just lifts his spoon an there's wee Aipplie's finger wi the ring on it! Well, he kent what had happened, an he's gaun mad!

Time wore on till it came near Christmas an the snaw's fallin an there's a wee white pigeon, a doo-doo, circlin the hoose as the Daddy sits greetin by the fire. An the wee doo-doo flies right away up the High Street tae the jeweller's shop an it sits on the coonter. The jeweller gets a fricht an says, 'What are ye doin there, wee doo?'

The wee doo says, 'If I sing you a wee sang, will you gie me the best watch ye have in the shop?'

'If you sing tae me,' the man says, 'I'll gie ye anything in the shop.'

So it sang tae him';

> Ma mammy kilt me
> Ma Daddy ate me
> Ma sister Jeannie pickit ma banes
> An pit them atween twa marble stanes
> An I growed in a bonnie wee doo-doo.

'Oh,' says the man, 'that's marvellous,' an he hands the wee doo the best pocket watch in the shop. Then the wee doo flies along the main street until it sees a big toy shop. It flies in and sits on the coonter an says tae the man, 'If I sing tae ye a wee sang, will you gie me the biggest doll ye have in the shop?'

The man says, 'Fairly I'll do that, if you sing me a wee song.'

So it sings tae him:

> Ma Mammy kilt me
> Ma Daddy ate me
> Ma sister Jeannie pickit ma banes
> An pit them atween twa marble stanes
> An I growed in a bonnie wee doo-doo.

'Upon my soul, that's good,' says the man, 'Ye can take whatever doll ye want.' An it flies off wi the biggest doll in the shop. Then it flies tae the ironmonger's an sits on the coonter an says tae the man, 'If I sing you a wee sang, will you give me the shairpest axe ye've got in the shop?'

'I'll do that,' he says.

So it sings again:

> Ma mammy kilt me
> Ma Daddy ate me
> Ma sister Jeannie pickit ma banes
> An pit them atween twa marble stanes
> An I growed in a bonnie wee doo-doo.

Then away goes the wee doo flyin through the air till it comes tae the chimney o the hoose an it caas oot, 'Orangie! Oh Orangie!'

The wee lassie hears it an she says, 'That's wee Aipplie's voice. I'm here Aipplie, I'm here!'

'Pit your heid intae the chimney, I've got a present for ye!' It's a big auld fashioned chimney, a fireplace ye can walk in. 'Haud oot your hands!'

So Orangie held oot her hands an the great big doll drops doon an she catches it. 'Oh Mammy, Daddy, look what I got!' She was fair delighted.

'Daddy are ye there?' comes wee Aipplie's voice.

'Aye, I'm here, wee Aipplie!'

'Look up the chimney an haud oot your hands!'

He's haudin oot his hands an lookin up the chimney an doon comes the lovely watch. 'Oh my God, Aipplie,' he says, 'thanks very much!'

'Is Mammy there?'

'Aye, she's here.'

'Well, tell her tae look up the chimney an haud oot her hands. I've a good present for her!'

The Mammy's fair dyin tae get tae the chimney tae see what she's goin tae get. An she stuck her heid richt up the chimney an pschow! the big axe came doon an cut the heid clean aff her!

Told by Sheila Macgregor

The Baker Boy

It was my father that telt me this story. There was a man away up in the
north o Scotland, like a mesmerist man, and he could dae aa the tricks o the
day. He was called the Baker Boy and he went roon the fairs and markets
when ma father was a wee laddie.

This auld woman was oot o the toon tae cut a sheaf or two o corn for her
goat. An as she came in through the market, she had two sheaves o corn on
her back. Aa the folk was in a big crowd and the Baker Boy was standin in
the centre o the ring an he's tellin them to come an watch the cock that
could pull a lerrick tree, a larch. An the folk's aa lookin an this cockerel is
pullin a big young lerrick tree wi its beak, tossin it aboot an pullin it. The
auld woman comes walkin in an says, 'What are ye aa lookin at?'

'Oh,' the man says, 'ye never saw onythin like this, mistress. A cock
pullin a lerrick tree.'

The auld woman pushed her way in beside where this big man's standin
directin things an she says, 'That's no a lerrick tree! That's a corn strae!'

This man that's puttin on the performance turned roon tae her quick an
says, 'I'll tell ye what I'll do, old woman. I'll gie ye a guinea for your two
sheaves o corn for ma cockerel.'

She says, 'A guinea? Oh I'll gie ye that.' An she gied him the two sheaves
o corn. Then she looked roon an *she* saw the cock pullin the lerrick tree!

One day the samen man was in Campbeltown. Ma mither had an uncle
they caaed Curly Donal. He'd ringlets right doon tae his shouthers an he
was a very hardy man, stood aboot over six feet. He met the Baker Boy an
he says, 'Hallo, Baker. Are ye in the toon the day?' For he knew he'd be
gaun roon the fairs.

'Oh aye,' he says, 'I'll need tae try an earn a few bob. Hae ye been on the
booze?'

'Aye,' says Donal, 'I drunk masel oot. I dinnae have a penny for anither
tummler o beer.'

'Ach,' says the Baker Boy, 'here's a hauf croon tae ye.' So Donal gets the
hauf croon an he goes tae the pub and says tae the publican, 'Give me a
hauf o whisky an a gless o beer.' He lays doon the hauf croon an the
publican puts the whisky oot an Donal drinks it an he's jist away tae lift the
beer, when the publican says, 'Hey Donal, whit are ye playin at? This is no a
hauf croon.'

'Aye, it's a hauf croon,' he says.

'No,' he says, 'Donal. Look at that! It's a roon piece o leather, man!'

The controversy got up an there's an argument an the publican sends for
Sergeant Cauley. Noo the Baker Boy's standin drinkin in the bar an
laughin. Sergeant Cauley came in an he says, 'What's wrong, MacInnes?'

'Och,' he says, 'Donal here has called for a drink an he's tryin tae palm me off wi a roon piece o leather.'

'Let me see it,' says the polisman.

The publican liftit it fae the back o the coonter an says, 'Look! Ye canny buy drink wi that!'

The Sergeant takes it frae him. 'That's aa right,' he says. 'It's a hauf croon!'

The publican says, 'It's *not* a hauf croon! It's a lump o leather!'

'Now,' says the polisman. 'I'll gie you one o mines an I'll keep this one. Let the argument finish wi that.'

An the Sergeant turned roon tae put the hauf croon in his pocket an get anither yin oot, an he saw the Baker Boy standin lauchin.

'Och,' he says, 'I might hae known! Come on, Baker, ye'd better get ootside an start your glamourie some place else!'

Told by John Stewart

The Tragic MacPhees

I'll tell you of the tragic family Alec's mother's people were. Her mother was Belle Reid and as all the auld tinkers long ago, she was fond o a dram. It was wintertime, no very long before the New Year, and there was a big storm on the ground an she was intae an alehoose up at Struan an she got a wee dram. Then she came oot an it was a night o blizzard and storm an she jist went a couple o hundred yards from the alehoose an sat doon at the side o the dyke for shelter an tae light her pipe. She was gotten frozen to death in the mornin, wi her pipe in one hand and her matches in the other.

Then Alec's mother's father was murdered by Irish navvies that were workin on the Highland railway. He could always get a drink for playin his pipes in the pub an naturally the pub was full o these men on a Saturday night. So one of these Irishmen asked him, 'Could ye please play "The Boyne Water"?' But he was sensible enough for that. 'Oh,' he says, 'that's a tune I never learnt.'

'Och get on with you. I'm sure you know it!'

'No I divent.'

But they kept feedin him wi drink till they got him three parts drunk an he played 'The Boyne Water'. They got his body next mornin; his pipes were lyin broken in bits an he was murdered.

Then Alec's mother had a brother an he dealt an swapped in horses as they did in those days, an he got a horse that was a reist—it wouldnae go forward an pull a cairt, it was aye gaun back.

They were up at Fort Augustus by the Canal. Instead o goin forward when he whipped it, the horse went back, back, back, an it backed right intae the canal an he was drooned wi his wife an three bairns. It was just tragedy that followed Alec's mother's folk.

Now she had a sister called Bella MacPhee an she was Willie's Bella's granny. Aa the travellers caaed her the Deif Lassie. Noo she an her dochter were at a level crossing in Dunbartonshire. The young lassie was jist a matter o days afore she was haein her first bairn. An the train was comin roond a turn an the Deif Lassie hurried across first and never heard the train. The lassie that was goin tae hae the bairn ran right across after her mother tae catch her an she only got her in the middle o the rails an they were made mince.

If ye look back on it—killed wi the train, drooned in the canal, murdered wi Irishmen an gotten deid at a Struan dyke—it was just tragedy aa through Alec's mother's family.

Told by Belle Stewart

The Whitterick and the Crow

I was up at Hanna's farm goin tae work at the tatties an there was a tattie pit aside where I was workin. An auld crow was dabbin away at this tattie an as I watched it, I saw a whitterick comin oot—that's a weasel. It was watchin this auld craw and all of a sudden it made a dart right on the crow's back and here didn't the crow start flyin! It up an up an up an the whitterick's got its teeth intae its neck an it was killin the crow, because the crow died up there. An do you know what the whitterick did? It caught the two wings o the deid crow an it glided doon tae the ground again, the whitterick sittin on the back o the dead crow! That's the queerest thing that ever happened!

Johnny Pay Me For My Story

Once upon a time there was a widow woman and her son lived away on a dark island miles fae anybody. This laddie used tae get odd jobs here and there aa owre the country and when he came hame he was that tired he just went tae his bed. But one nicht he was just goin awa tae his bed when he heard a chap at the door.

'I wonder wha this can be at this time o nicht,' he says tae his mother.

'Ye'd better go an see,' she says, 'Ye never ken wha it micht be.'

So Johnny went tae the door an opened it canny an peered oot an saw it was an auld man standin there.

'I'm lost,' he says, 'laddie. I just saw your licht an came to see if ye've ony place ye could put me up for the nicht.'

'Come in,' says Johnny. 'There's naebody bides here but me an ma mother.'

So he took this old man in and the old woman made him a cup o tea an gied him whatever she had in the hoose an they sat crackin for a while. Johnny says, 'Ye must travel far. What dae ye dae for a livin?'

'Well,' says the old man, 'I'm a storyteller.'

'Oh,' says Johnny, 'that's the very thing I wish for at night, that someone would come an tell me a story.'

'Would ye like a story son?' asks the old man.

'I'd be very glad o a story, just tae pass the time,' says Johnny.

So the old man started a story and this is the story he told Johnny.

Once upon a time there was a king miles an miles fae here an he was good tae aa his tenants, an he had four lovely daughters. Also this king had a miller and this miller had fower sons. One day when things were very quiet, these boys went away tae look for work for theirsels. They were beautiful, strong young men who could have found work anywhere. They travelt on for days an days until they came to a crossroads. The oldest one says, 'There's nae use goin thegither tae look for work. We'll never get it that way. We'd be better tae split up an we'll meet back here in a year an a day.'

They all agreed tae do this an they each went a different road. The eldest one was a big strong, intelligent fellow an he went along askin for work, until he came to a big house an a gentleman came oot tae him an says, 'Well, my boy, what do you want?'

'Well, sir, I'm looking for work,' he says. I'm willin tae try anything.'

'Come in, come in an get some supper,' says the gentleman, so in he gangs an the man's askin him questions. 'Are ye sure ye're willin tae try anything?'

'Yes I am,' he says.

'Well, I'm what ye caa a star-gazer and I've been lookin for a long time for a mate, tae teach him the things I ken.'

'Oh,' says the oldest brother, 'that's the very thing for me.' So he stayed wi this gentleman an he's studying the star-gazin business.

The second brother searched an searched for a job but couldnae get one, tae he come tae this affa rough-lookin house. He rapped at the door but thocht, 'I doot there'll be not much work here.' A rough-lookin man came oot an says, 'What the hell dae ye want here at this time o night?'

'I'm lookin for work,' says the lad. 'I'm willin tae dae anything.'

'Wad ye dae anything for money?'

'Aye, I'd dae anything.'

'Well,' says the man, 'you're the very man I'm lookin for. I'm a professional burglar and I would like an accomplice, one that I can show the tricks o the trade. So if ye'd like tae tak a chance an bide wi me, ye could earn yoursel a lot o money.'

So that was the second brother got a job. The third brother was comin along the road and he came to a castle where people were shootin wi bows an arras. 'I'll go doon there an ask for a job,' he says. So he sat in a bush till most o the folk had gone away then went up tae the front door. Oot came this gentleman an asked what he wanted. 'I'm wantin a job,' he says. 'I can dae anything ye want.'

'Oh,' says the gentleman, 'come in. I'll teach you a good job if ye want tae try it. I'll teach ye tae be an archer. Ye'll be the finest archer in the world an win a lot o prizes.'

'Oh,' says the laddie, 'that's aa right. I'll just stay here.'

Now the youngest brother's comin along the road. He wasnae as big as the rest o them an naebody wad take him on. But he comes tae this wee auld hoose an he rappit at the door. A wee auld man opened it. 'What dae ye want. son, at this time o night?'

'I'm on the road,' he says, 'and I'm lookin for a job.'

'Oh there's no much work here,' says the auld man, 'but come in an ye'll get a drop tea an a share o what's in the hoose.'

So the laddie goes in an sits doon an he says tae the auld man. 'Ye'll no be workin ony mair? Ye're too auld.'

'I'm too old for work now, son,' he says, 'but I used tae be the best tailor in the whole district.'

'Oh I wish I could dae that,' says the laddie.

'Oh I'll teach ye tae dae that, son,' says the auld man, 'if ye want tae be a tailor.'

So he agreed an stoppit wi the auld man an started wi his tailorin an sewin.

Time went on till it came tae the day when they had tae go home. The four o them met thegither at the cross-roads an shakit hands an were overjoyed an axed yin anither aboot their trades. But when they came back tae the mill, their mother and father were dead and gone. So the four brothers went up tae see the king.

'Hallo,' says the king, 'Have ye had your breakfast?'

'No,' says the oldest brother, 'there's nothin tae eat at the mill.'

So he took them in and gave them a first class breakfast then he took them out tae the back o the castle. 'Now,' he says, tae the auldest yin, 'I've got a task for ye. You're a star-gazer, ye tell me. Ye see that nest in the gourach o that tree?'

'Aye,' he says, 'I see it.'

'Well,' he says, 'tell me how many eggs are in that nest, an I'll gie ye one on ma daughters tae marry.'

'There's four eggs in that nest, sir,' says the star-gazer.

The butler went away an got a ladder, climbed the tree an lookit in the nest. 'There's four eggs in it, sir,' he says.

'Now,' he says tae the thief, 'I want tae see ye goin up an stealin one o the eggs oot o that nest without that bird risin. If ye can dae that, ye'll win the hand o one o ma daughters.'

So the four o them are sittin lookin oot this wee windae and the bird comes and lands on its nest. The thief goes oot an roon the tree an goes up the tree withoot the bird comin off an takes the egg fae below the bird withoot it movin. He held the egg oot between his finger an thumb an the king says tae the archer, 'Noo I want ye tae crack the shell o the egg wi your arra withoot burstin the yolk.'

'Oh but that's an easy thing for me tae dae,' says the archer. He took his bow an arra an took aim an just tipped the side o the shell an it cracked in two shares in his brither's hand, but it never broke the yolk.

'Well,' says the king tae the wee yin, 'it's your turn now. See if you can sew the shell o that egg so that it's the way it was withoot the bird kennin.'

'Oh,' he says, 'I'll dae that.' He got the brither doon oot the tree wi the egg an sewed it wi a fine needle an a fine thread. You could hardly see the crack in it. The thief then pit it back in alow the bird in the nest.

'Well,' says the king, 'you're clever men, there's nae gettin away fae it. Ye've won your brides an you'll each get a farm an when I die, all my estate will be split in four. Come back in the mornin an we'll make the arrangements for your weddins.'

They went back tae the mill as happy as anything an they just laughed an talked an jokit the lee-lang nicht. They went up tae the castle first thing in the mornin an they found the king an queen wringin their hands an the princesses were tearin their hair oot. 'What's wrong?' they says. 'What's the matter?'

'When we got up this mornin,' says the king, 'oor youngest dochter wasnae in her room an there were signs o a struggle there. The windae was torn oot the frame.'

'Wait a minute,' says the star-gazer, 'I'll tell ye where she is an what's happened tae her.' An he studied a while, then he says, 'I ken whaur she is.'

'Oh thank God,' says the king.

'She's alive,' he says, 'but she's in bad hands. Out in the freshwater loch there's a castle an there's a warlock bides there. He came last nicht an stole your dochter an she's locked up in that castle.'

'Oh,' says the king, 'what are we gonnae dae now?'

'If we can get a boat,' says the star-gazer, 'we've a good chance o goin an gettin her.'

The king got them a boat an they went away an sailed through a bank o fog until they reached this island wi a big auld castle sittin in the middle o a wud. 'Now,' says the eldest brother, 'this is where she is. There's only one man can dae onythin fur her an it's you,' he says tae his brother who was the thief. 'If you can get her oot an back tae the boat, we've got it made. But remember, that's a warlock an if he gets you, it's *death* for you.'

Out goes the thief, slippin canny up tae the castle an he made his way silently through aa the rooms, till he finally came tae the room where the princess was an he had her oot the room an doon the stair an just as he got her back tae the boat, the warlock waukent up an discovert she was away. The boat was makin good speed, wi the wind at its back but when they lookit back they saw this black cloud comin through the air an when it got near, it was like a giant black bat swoopin at the boat wi its talons. The archer managed tae keep it off, wi an arra here an arra there, but then the warlock made a dive at the boat an tore it in half.

'Oh,' says the tailor, 'I'll need tae sew this up quick!' So he sewed away an the ithers workit the oars an the archer waited until he came as close as he could an he put an arra right through the warlock's throat an he fell dead in the loch. They managed tae get tae the shore, shakin an sore, wi the water rinnin oot them an the auld king walked oot fae the palace.

'That was very weel done,' says the king, an he took them inside an they got dry clothes an the weddins went ahead an I think they're still livin happy tae this very day.

'Now,' says the old man tae Johnny, 'what dae ye think o that?'

'Oh,' Johnny says, 'that was very good. That was the best story I've heard for years.'

'Well,' says the auld man, 'I'm glad ye likit it, for that's my trade. Every story I tell, I always get paid for it.'

'Oh well,' says Johnny, 'that's a different kettle o fish. I've nae money tae pay anybody.'

'Oh well, Johnny,' says the old man, 'ye'll need tae pay a forfeit.'

'What have I got tae dae?' says Johnny.

'I'm gaun tae turn ye intae a lion,' he says, 'an I'm gaun tae send ye oot through the wuds for a year an a day. When you come back, we'll see if ye pay me for your story or no.'

So the auld man turned him intae a lion an he's away through the wud leavin his mother in the cottage by hersel. When the year an a day was up, Johnny came back in the gloamin dark an his mother's sittin at the door greetin. He turned back intae hissel again an she says, 'Oh Johnny, Johnny, I'm glad ye're back!' She hurried tae mak him a bite tae eat an he went an lay doon for he was that fatigued. It turned dark, when a chap came tae the door again. 'Who could that be at this time?' says Johnny, but when he opened the door, here was the same old man again. 'Oh,' says Johnny, 'it's you!'

'Aye,' he says, 'it's me.'

'We havenae got much intil the hoose,' says Johnny, 'for ye ken whaur I was for a year an a day.'

'Aye,' says the old man, 'an noo, Johnny, ye can turn yersel intae a lion any time ye want.'

'Oh thanks very much,' says Johnny.

'Now,' says the old man, 'are ye gaun tae pay me for ma story?'

'Where am I gaun tae get money,' says Johnny, 'wanderin in the wud the lee-lang winter, in frost an snow?'

'Oh well,' he says, 'I'll just hae tae turn ye intae somethin else.'

'Can ye no hae mercy on me?' says Johnny.

'It's for your ain guid, Johnny,' says the old man. 'I'll turn ye intae a salmon an gie ye a change in the sea for a while.'

So Johnny's away doon tae the burnside an he turns intae a salmon an he's away tae the sea for a year an a day. Then instinct brocht him straight back tae the burn an like a flash he turned back intae a man again on the bank.

Aa that was wrang wi him was that his feet were kin o damp because it was a shallow bit he had come in. So he wannert owre tae his hoose an his mither was sittin waitin for him tae come back. 'Aw, Johnny,' she says, 'ye've come back son!'

'Aye,' he says, 'mither, I got back. That was a cauld cairry-on for me aa winter in the sea. I got chased wi otters, chased wi seals, chased wi sealions—everything possible I've been chased wi! I was near gaffed twice by fishers.'

'Ah well, ye better come in,' she says, 'son, an get some dry claes on an get a wee bite o something tae eat.'

So in Johnny came an he changed his claes an got a wee bit o supper. An he was just sittin crackin tae his mither aboot what was gaun on an how she was survivin for the last year, when a knock came tae the door again. Says Johnny 'I bet ye a shillin, mother, that that's that man back again an if he asks this time for money for ma story, I dinny ken whit tae dae. I've nothin, I havenae a fig!'

So when he opened the door, he saw this wee man standin. 'Aye,' he says, 'ye're back again Johnny. Am I gettin in this time?'

'Oh yes,' says Johnny, 'ye can come in. Be just as well comin in the nicht as ye were twa years ago.'

So the old man came in an sat doon an asked Johnny how he got on in the sea, how many times he escaped death wi seals an otters an the rest o't. Johnny telt him aa. 'Aw,' he says, 'you're a clever boy, Johnny. But I'm no goin tae be here very lang the nicht. I've anither appointment some place else an I've just come back tae see if you're goin tae pay me for ma story.'

'Aha,' says Johnny, 'there's no use sayin things like that. Ye ken fine I could get no money in the sea.'

'Oh,' says the old man, 'I'm sorry for ye, but I'm goin tae gie ye anither forfeit till ye come tae your senses. Ye've been a lion, an ye've got on very well in the wud an ye got on aa richt in the sea. I'll gie ye a chance this time in the sky. I'll turn ye intae a hawk. It'll maybe come in useful tae ye efterwards.'

Like that, Johnny turned intae a hawk an soared up intae the sky awa abeen the wuds an awa abeen aa the places for miles an he could see richt across the sea.

'Aw this is better,' says Johnny. 'Naebody'll chase me up here.'

So he's flyin here an there an he went further away this time than ever he went afore, because at a pull o his wings he could sheer away up jist in seconds an come back doon. The year wasnae sae bad at rinnin by this time, an when he was on his way back he says, 'I'll rest here in this wee sheltery bit an I'll manage hame the morrow's night.' He looks an he sees this wee hoose in the middle o a wee wud an hit aa surrounded wi ivy bushes an ivy growin up the waas. Johnny flew in an he's sittin on the windae-sole ablow this ivy; it was a beautiful shelter an he could hear everything that was gaun on through the windae. An there's a man an wumman an a lump o a laddie, an awfy jolly laddie, lauchin an haein fun wi his father an mother. An here Johnny sees this auld man comin, the samen auld man that had come tae him. The auld man chappit at the door an the old folk opened the door an took him in. He got his tea an his supper an then the laddie axed him tae tell him a story. So the auld man telt him the same story he telt Johnny. Noo Johnny's sittin wi his lugs cockit at the windae tae hear what the laddie wad say efter the auld man's finished the story.

'Well,' says the auld man, 'that's the end o ma story. When I tell a story, I expect tae get paid for it, so what are ye goin tae gie me for ma story?'

'Well,' says the laddie, 'I've nae money. I canny pay ye, but maybe God'll pay ye.'

'That's fair enough,' the auld man says, 'that will just suit me fine! Ye can go scot free. If ye hadnae telt me that God'll pay me, I wad hae made ye pay a forfeit. But ye managed tae be sensible in your words that ye said the right thing. So I bid ye goodnicht.' An away the auld man went.

'Now,' says Johnny, 'if I'd hae kent aboot that. I'd be a free man. I ken what tae dae the morra, when I come back tae the hoose.'

As soon as daylight come, Johnny made direct for his ain hoose an as he was comin tae the hoose he didnae see ony reek or ony movement. Whenever he turned tae his nainsel, he made straight intae the hoose an there was naebody in it, nae sign o his mother an nae fire in the fireplace, just a bare empty hoose. He kennled up a wee fire an he searched the place but there was naethin left in the hoose but a bed in the corner an two-three bits o blankets. He just had the fire goin lovely, when a chap comes tae the door. It was the auld man again.

'Aw,' says Johnny, 'you're back!'

'Aye,' says the auld man, 'I'm back, Johnny. I've a sad tale tae tell ye. Your auld mother, ye can see she's not here, She died six months ago. That lang cold winter she couldnae look after hersel. But I buried her, I gien her a good down-puttin, a very expensive funeral.'

'Oh well,' says Johnny, 'that was guid o ye.'

'Well, Johnny, ye ken what I'm back for!'

'You're back for the payment o your story,' says Johnny.

'That's right,' says the auld man. 'Are ye goin tae pay me for ma story?'

'Well,' says Johnny, 'it's just like this, auld man. I canny pay ye, but maybe God'll pay ye.'

'Ah,' says the auld man, 'that's well chosen! If ye'd chosen that word years ago ye'd hae been a free man. But never mind! Those three things you got turned intae, the salmon, the lion and the hawk, ye can turn yersel intae them any time ye want. I think ye'll find that's not a bad prize.'

'Thanks very much auld man,' says Johnny. 'But there's nothin for me here. I'll need tae go and work some other place for a livin.'

'Well,' says the auld man, 'away along the coast there's a big hoose an there's a man there an he's lookin for a man tae pick the richt horses an ye micht get a job there.'

'Fair enough,' says Johnny and away he goes in the direction the auld man telt him. It was twa-three days' traivel an he was aboot half a mile fae the big hoose when he heard a voice cryin, 'Hi! Come here, Johnny! Help!'

He lookit up intae this tall tree an away at the very tap he saw a man sittin. 'Aw,' Johnny says, 'that man's stuck up there an he'll be wantin me tae go for a ladder.'

'Come closer tae the tree,' the man says. 'Wad ye no like tae come up here? I can see maist of the world fae here.'

'Oh no,' says Johnny. 'That's a thing I was never used tae, climbin. In any case I'm too tired tae trek up there.'

'It's dead easy,' says the man. 'Come closer tae the tree.'

Johnny took two steps closer tae the tree an before ye could say Jock Robinson, he was up at the tap o the tree alongside this man. 'Well,' says Johnny, 'What am I goin tae dae up here?'

'Look away owre there,' says the man. 'Ye see a big hoose owre there.' With that the man disappeared an Johnny was stuck up at the tap o the tree.

'Maybe he's awa for a lether,' says Johnny, an sure enough, after aboot an oor, the man comes back wi a giant lether an Johnny came doon. 'Now,' says Johnny, 'what was that aa in aid o?'

'I've been waitin on ye, Johnny,' says the man.

'How d'ye ken ma name?'

'Oh fine I ken your name,' says the man. 'Ye better come wi me tae the castle an I'll tell ye what I want ye for.'

Away the two o them went tae the castle an Johnny got his supper. 'I ken a lot aboot ye,' the man says tae Johnny. 'I ken what ye can dae. I've a half-brither, a bad evil man, an he lives across the loch there. He came at nicht an stole the only dochter I have. I wish ye wad go an look for her an bring her back.'

'Oh,' says Johnny, 'I could never dae that. Why can ye no go yersel?'

'I canny go masel,' the man says. 'I havenae got the powers you have. I'll get ye a boat an I'll get ye men tae sail it. You go an try an get my daughter back. If ye do, this castle will belong tae you an also the hand o my daughter.'

'Fair enough,' Johnny says. 'I'll try anything wance.'

It was arranged that Johnny got this big sailin ship an men an a captain tae guide the ship. 'Now,' says the man, 'afore ye go there, I'll tell ye this. My daughter canny get freed till my brother dies. I can tell ye, there'll be three things he'll say that'll end his life. An it'll be the last thing he says that'll end it.'

Johnny sails away in the boat an they sailed for a long time. The captain was a first class captain an he navigated the ship in the direction the man telt Johnny tae go. Wan early mornin one o the mates came doon tae Johnny, lyin in his bunk an says, 'Ye better waken up. The captain wants ye on deck.'

Up Johnny goes an the captain says. 'Dae ye see thon island away owre there? That's where the laird's daughter is. His half-brither is a warlock an can pit a curse on ye.'

'Oh can he?' says Johnny. 'We'll see aboot that!'

When they come within five or six miles o the island Johnny says, 'We'll no go ony closer. Stop here an wait here.' The captain lowered the anchor an Johnny jumped overboard an turned intae a salmon an he's swimmin for the shore. He came ashore aboot half a mile fae the castle an he turned himsel back intae a man again. He stood up an lookit aa aroon him an walkit alang this beach an as far as he could see in every direction he saw this great big wall. Johnny just ran back a bit an he turned himsel intae a lion an ootowre this wall he sailed. When he came intae the estate, he could see nobody so he turned hissel intae a man again, in case he frichtened onybody tae death bein a lion. But when he came closer tae the hoose, he saw a lot o big dogs, so he turned hissel intae a hawk an flew fae tree tae tree. Then he came tae the castle an flew roon it an started gaun fae windae tae windae till he came tae a windae an peered inside an saw a young lassie sittin in the room an greetin an tearin her hair. He sat at the windae till she happened tae look an she went forward an liftit the windae up a bit an let the wee hawk intae the room. 'Ma puir wee bird,' she says, 'ye must be cauld sittin in aa that rain.'

The minute Johnny got inside the room, he turned hissel back intae a man again. 'Oh my God,' she says, 'what are you? Who are you?'

So he telt her aa he had come through an she says, 'You've met my father?'

'Aye,' he says, 'an he telt me different instructions. He telt me you'd never be free till your uncle would die.'

'That's right,' she says, 'an I don't know how in the world he's goin tae die, for he's that fly that he can't be tricked.'

'Well,' says Johnny, 'ask him the nicht how his life will end.'

Johnny turns back intae the hawk again an he's sittin at the windae. Ye could see out on the sea, sittin on the big high castle. He saw a sailin ship comin an drawin in tae this jetty an a great big man comin direct up tae the castle. 'I bet that's him,' he says. 'I hope she gets the richt answer.'

Up the man comes an it's the warlock richt enough an he comes up tae the room where the lassie is tae see if she's still there. 'I'm still here,' she says.

'It's been a long wearisome day. I havenae had much pleasure. I wish I was hame.'

'Oh you'll get hame,' he says, 'when I die!'

'When you die,' she says. 'When will that be?'

'Dae ye see that hump o ground oot there?' he says. There was a green knowe ootside wi trees round it. 'When the wee birds cairry it away tae build their nests in ither places an that comes level, that's the end o ma life.'

The next day the warlock went away again an Johnny came in. 'Well,' he says, 'What did he tell ye?'

She says, 'He telt me that when that knowe wad be tane away by the wee birds tae build their nests, that wad be the end o his life.'

'You go oot,' says Johnny, 'wi a stick an chase aa the birds away, an see what happens.'

So she's oot wi a stick an she's chasin aa the birds an when the man comes back he says, 'What are ye daein, my dear.'

'Oh,' she says, 'I'm chasin aa the birds away for they're takin aa the mould away. I care for your life more than anything in this world.'

'Oh,' he says, 'I'm sorry, my dear, I was tellin ye a lie. That's no ma life at aa. Ye see that big stane there?' There was a great big stane shapit something like a horse, wi fower big legs oot o't an a big long body. 'When that melts away an the fog grows oot o't six inches lang, and haps aa that stone, that'll be the end o ma life.'

Then the man went away but he didnae go right away, he just went doon an hid. She's doon wi pails o water an a scrubbin brush an she scrubbed an polished the stane. The man sees it an says, 'This lassie must be fond o me richt enough.'

He comes back again an he says, 'I saw ye made a good job o that stane.' But I'm sorry tae disappoint ye for that's not my life at aa.'

'What is your life?' she says.

'I'll tell ye,' he says. 'There's a log o wood down on the beach, an it's sixteen feet long an five feet thick. There'll need tae be a man tae split that log, wi one solid blow o an axe. Oot o the log there'll come oot a wild duck an it'll fly right across the sea. An when it's high up in the heavens, it'll drop an egg an that egg'll need tae be broken on my broo where that mark is. An that'll be the end o ma life.'

Johnny's listenin tae aa this an he says, 'That's the third thing, an the man telt me that the third thing's the right one. That's it!'

Johnny flew back tae the boat as quick as quick an he says tae the captain, 'Have ye got an aix on the boat?' An the captain got oot this great big aix. Johnny shairpened it an shairpened it an shairpened it, till it was just like a lance. Then Johnny went back wi it tae the castle an next mornin bright an early the warlock's away an Johnny says tae the lassie, 'Come on, get yersel ready and come wi me.' Once she'd gaithered something together, she came awa wi Johnny. Now they were back tae this big high waa. Johnny flew richt owre the waa an doon tae the shore where the men were wi the rowin boat. 'Ye'll need tae go back tae the big boat an get a rope.' So they're awa tae the boat an the came back wi a rope.

'Stand alongside that waa,' Johnny says, 'an catch this rope when I gie ye it fae the ither side.' Johnny flew back owre the waa an turned hissel intae a man again so that he could fling the end o the rope owre the waa. 'Noo,' he says tae the lassie, 'I'll tell the men tae pull an you traivel up the waa.'

'Right,' says the lassie. Johnny callit tae the men, 'Pull on your rope!' He says tae the lassie, 'Walk up. Just pull at the same time as ye walk up.' It was nae bother! She jist walkit up the waa till she got tae the farside an Johnny got her doon.

'Noo,' he says, 'I wonder whaur this lump o wud is.' He wannert alang the shore a bit till he comes tae it. Then Johnny liftit the aix an swung it an split the log the way ye wad split a cabbage wi a gully knife an this wee wild duck shot right up intae the air. Johnny turns hissel intae a hawk again an he's up efter the duck an he's crowdin it an circlin it an wi the fricht this wee wild duck's gettin, it dropped this egg in the air. Johnny came low down tae the water an he turns hissel intae a salmon an he's efter this egg. He got it in his mouth an he's just oot the water an had turnit hissel back intae a man again, when they saw this sailin ship comin at a speed past redemption.

'Oh,' says the lassie, 'that's ma uncle comin!'

Says Johnny, 'Get intae the boat, everyone o ye.'

They got intae the boat an pulled hard for the big boat as quick as ever they could. An they finally managed tae get ontae it. But ah me! this boat drew alongside an the man was that angry he was wild, an him roarin. He had a sword seven feet lang an he came off his ain boat an rowed owre tae their boat. But Johnny's waitin as he came across an he liftit the egg an hit the man square on the broo. The minute the egg broke on his broo he fell on the brunt o his back and lay stiff an dead an that was the end o him!

So Johnny and the lassie an the crew members an the captain went back tae the ither castle an telt the ither brither whit had happened. He was as good as his word an gave Johnny his daughter an the castle an they're livin there tae this very day yet an that's no lie.

Told by Willie MacPhee

Glossary

abeen above
airt direction
aneth beneath

barrie good, fine (cant)
barracades large tents
ben inside
bien good (cant) as in *bien coul*
   gentleman
big-baggit with a fat stomach
bing heap, also go (cant)
bletherin chatting or talking nonsense
brae hill
bree water something has been boiled in
breckan bracken
bucht sheepfold
bud stayed

chap knock
chaved worked
chuckie stane pebble
claes clothes
cleek hook
collop slice of meat
cottar hoose farmworker's cottage
cowp knock over
crackin conversing
cratur creature
crupach hunchback
cupples rafters

danners strolls
daurna dare not
dovert nodded off to sleep, drowsed
dunt blow

echty eighty

fank sheepfold
foggy mossy
forrit forward

gadle man (cant)
gaun going
ged, geddie young man (cant)

gie give
glamourie magic
gloamin dusk
graip fork
greetin weeping
grun ground

houlet owl

jags thorns, spikes

ken know
kennlet kindled
kirkyaird churchyard
knowe hillock
kye cattle

lerrick tree larch
lether ladder
lour money
lug ear
lum hat top hat

near-cut short cut
neep turnip

object handicapped, afflicted person

pad path
peerie spinning top
piece slice of bread spread with
   something
pirns reels for yarn
pishmool ant
press cupboard
puckle a little, a few
puddens guts

reek smoke
reist a horse that will not go forward
ruckle thin bundle

samen same
shan bad (cant)
shaw turnip top
shinner cinder

169

single end   one room flat
siller   silver, money
skean dhu   black knife, a little knife
   strapped to the leg of a Highlander
skirlin   screeching
skite   slide
smiddy   blacksmith's shop
sowans   thin gruel
stardie   jail (cant)
strae   straw
swey   hook over fire for pot

tichtener up   something to eat
totie   very small

wallsteads   the shell of a house
wastin   ruin
waukent   wakened
waur   worse
whitterick   weasel
windae sole   window sill
wyce   in one's right mind, sensible